U0635207

罗澍伟 主编

马宇彤—著

小楼忆春秋

天津出版传媒集团

天津教育出版社

图书在版编目（CIP）数据

　　小楼忆春秋 / 马宇彤著 . -- 天津：天津教育出版社 , 2022.10
　　（阅读天津·津渡 / 罗澍伟主编）
　　ISBN 978-7-5309-8882-4

　　Ⅰ . ①小… Ⅱ . ①马… Ⅲ . ①名人 - 故居 - 介绍 - 天津 Ⅳ . ① K878.2

　　中国版本图书馆 CIP 数据核字 (2022) 第 154358 号

小楼忆春秋
XIAOLOU YI CHUNQIU

出　　版	天津教育出版社
出 版 人	黄　沛
地　　址	天津市和平区西康路 35 号
邮购电话	（022）23332417

策　　划	纪秀荣　任　洁　王轶冰　田　昕
责任编辑	田　昕
特约编辑	魏　劼
摄　　影	祁小龙　谷　岳
装帧设计	世纪座标　明轩文化
美术编辑	郭亚非　汤　磊

印　　刷	天津海顺印业包装有限公司
经　　销	新华书店
开　　本	787 毫米 ×1092 毫米　1/32
印　　张	6.5
字　　数	75 千字
版次印次	2022 年 10 月第 1 版　2022 年 10 月第 1 次印刷
定　　价	45.00 元

HOW TO READ TIANJIN

FERRY CROSSING

主编的话

罗澍伟

乘着凉爽的秋风，"阅读天津"系列口袋书第一辑"津渡"，翩然而至，饱含播种的艰辛和收获的喜悦。

天津，是国家历史文化名城，是一座因河而生、因海而长的城市。河与海，丰富了这座城市的历史与生命，让她既传统又时尚，既守正又包容，既质朴又浪漫，多元文化在这里相遇。一年四季，这座城市总是仪态万方、光华夺目，散发着永恒的人文魅力。

"津渡"，以上吞九水、中连百沽、下抵渤海的海河为蹊径，深情凝视这座城市的岁月过往，又经由现代价值的过滤，带领读

HOW TO READ TIANJIN

FERRY CROSSING

者重返时间洪流，感受津沽大地所存储的厚重记忆。十本图文并茂的普及性读物，涵盖了海河的历史悠久、运河的遗存丰厚、建筑的精美绝伦、桥梁的琳琅满目、洋楼的名人荟萃、工业的兴盛发达、美食的回味无穷、年画的意蕴深厚、方言的风趣幽默、文学的乡愁悠远。英国浪漫主义诗人雪莱说："历史是'时间'写在人类记忆中一首循环的诗。"认真阅读，既可以领略这座城市源远流长、群星璀璨的深层历史况味，又可以与这座城市异彩纷呈的多元文化来一场愉悦的邂逅。

"津渡"，配有一份精致的手绘长卷《海河绘》，以杨柳青木版年画特有的丹青点染，绘就一条贯穿"津城""滨城"的浩荡长河，上至永乐桥上的"天津之眼"，下达恢宏壮观的天津港；细致描摹两岸众多人文景观，组成了令人流连忘返的沽上美景。站在画前端详，可以直观感受到，水扬清波、直奔大海的海河就是整座城市的生命之源。

"津渡"，巾箱本，特别适合边走边读。漫步街巷与河畔，探寻蕴藏其中的城市文化精髓，可以得到一种满足、一种惬意、一种充实、一种厚重、一种遐思。在传统文化与现代精神的互动中，深入认识这座城市的文化创造力和当代价值追求，以及丰厚滋润的精神归宿，用阅读修养身心。

2019年1月，习近平总书记在天津视察时，作出了"要爱惜城市历史文化遗产，在保护中发展，在发展中保护"的重要指示。

"阅读天津"系列口袋书的出版，是传承发展中华优秀传统文化和守护城市文脉的生动体现，也是悠久历史文化与壮阔现实巨变的聚汇融通，更是深入贯彻习近平总书记重要指示精神的切实行动。爱惜和保护，让我们的城市敞开心扉，留住乡愁；创新和发展，让我们的城市充满生机，万象更新。

正是在这个意义上，热切期望"阅读天津"系列口袋书其他各辑，也能早日出版面世！

（主编系著名历史文化学者、天津市社会科学院研究员、天津市文史研究馆馆员）

HOW TO READ TIANJIN
FERRY CROSSING

小楼在前，启迪在后

小楼，是天津的一张独特名片。

在 1860 年 10 月，清政府被迫与英国签订的《北京条约》中，其中一条就是增开天津为"通商之埠"，自此之后，英、法、美、日、德、俄、奥、意、比九国相继抢滩津门划割租界。20 世纪初，天津九国租界面积总和已是旧城区的 9.82 倍，列强以此为依凭，垄断外贸，把持海关，操纵金融。20 世纪的前 30 年间，在津外国人超过七万人，占到天津人口的 1/20，他们对衣食住行、子女教育、体育娱乐的旺盛需求，催生了大批洋房以及关联的行业，形成了以今解放北路为代表的金融外贸区，以今小白楼为代表的国际化自由商业区，以今劝业场为代表的新型商业中心区和以原意租界和今五大道为代表的高级住宅区，相继落成的一千多座"风情万种"的小楼，鳞次栉比，给天津贴上了"万国建筑博览会"的标签。

有楼就有住户，有人就有江湖。

20 世纪初叶，时势瞬变，天津在中国的

地位变得极为特殊与重要。一方面，租界是
天然的政治避风港；另一方面，天津得地理、
交通与海关之便，市场成熟，商机充盈，活
力四射。政要军阀、清廷遗老、名师名医、
买办巨贾纷纷在津置地置业，一为安全，二
为立业，三为享受。

　　近代中国看天津，很大程度是看它的建
筑风貌。漫步天津历史风貌建筑街区，不管
是按图索骥，还是信步闲游，小楼像是一位
民国史的导游，归隐的静寂，思潮的预热，
丰美的物象，深邃的杂糅都能从中一一找到
对应之物。那绿树掩映的高墙，若隐若现的
屋顶，棱角深幽的窗棂，无不藏匿着一个多
世纪的如烟往事和旷世传奇。它的一楼一景、
精工细作和人生起落，令人一步三叹。你见
或不见，想或不想，它们都以百岁年纪，静
静立在那里，刻印着大宅门里的家族悲喜。
让观者在从政史鉴、创富神话、励志人生、
豪门恩怨的启迪中，感受着气节的重量、胸
怀的度量和格局的体量。

　　活生生的小楼，承载着太多的秘密和隐
忍、内涵和象征，那些外化的符号，远不如
楼主的跌宕命运引人入胜。那些真实发生过
的、比想象还要丰富不知多少倍的故事，详

解着人事有代谢、往来成古今的道理，读懂的淡然，读透的超然，未解其中味的仍然奔跑在路上，而这种奔跑，又何尝不是世间的一道风景？那个百年前的高端圈层，至今令人乐于探索寻觅，其间关于气节、家风、爱情、公益、财富、恩仇、变通的一系列元素，足以让来者一日穿越百年，一眼爱上这座城。来者只需站在它们面前，让人物与建筑、历史与风云，在这里水乳交融，于砖瓦之间体悟着人生的起落荣辱，刻印着梦想的放飞追逐，反思着家族的传承成败，咀嚼着爱情的瞬间永恒……

这正是，一花一世界，一楼一乾坤；其间多少事，点醒后来人。

马宇彤

2022 年 9 月

目录
CONTENTS

17

南海路 2 号

曹锟故居

20

四川路 2 号

靳云鹏故居

23

花园路 5 号

吉鸿昌故居

18

湖南路 11 号

马占山故居

21

赤峰道 76 号

范竹斋故居

24

鞍山道 38 号

段祺瑞故居

19

泰安道 15 号

孙传芳故居

22

赤峰道 78 号

张学良故居

25

鞍山道 59 号

张园

马场道123号
刘冠雄故居

刘冠雄
1861—1927
福建闽侯县人。北洋海军成军后，被任命为"靖远"舰帮带、大副。在北洋政府第一至第九届内阁中，出任了海军总长。1923年辞职，寓居天津。

建于1922年，象征主义建筑，隐喻主人海军将领身份。曾有三座楼，中楼为航空母舰造型，西楼为巡洋舰样式，北楼为望远镜造型，现仅存北楼，共三层带地下室，红机砖清水墙，部分砂石罩面，挑梁，大瓦顶。

海军总长，梦回大海

在那个照片尚属稀罕之物的年代，刘冠雄留下了数量可观的生活照。这些点染着岁月印迹的照片，不仅记录了原海军总长几代同堂的天伦之乐，也直观地定格了一百年前，一个家族、一座城市社会生活的多个侧面。

刘冠雄的半生时光，都与浪花、涛声为伴。他的辉煌与遗憾，早已刻在舰队前行的每一条航线之中。《福建文史》上曾刊发一篇文章，详细记载了刘冠雄一家对中国海军事业作出的重

要贡献。刘冠雄的父亲只是个箍桶匠，但他以深沉的家国情怀，把五个儿子中的四个送进了福建马尾船政学堂，这个家族也因此在当地赢得了"海军刘"的雅号。

刘冠雄卸任军职后，归隐天津，享受着风浪荡涤后难得的平静生活。那时，他的四子五女外加一个侄子，上上下下几十口人都住在这三栋楼里，四个儿子住在北楼，刘冠雄夫妇和未出阁的女儿住在中楼，已婚女儿住在西楼。虽然分楼而居，但在这个大宅门里，总是那么和睦与热闹。刘冠雄治家如治军，对子女严格管教，由于他定下家规严禁家中任何

成员沾染鸦片，在当时以吸食鸦片为时尚的上流社会里，刘家成了少有的一股清流。刘冠雄的孙辈回忆："我们各家每天早上起来后都要去给爷爷奶奶请安，平时吃饭是分开吃的，但逢年过节时就要全体在一起吃饭，十分融洽。"

家里的书房，是生发梦想的地方；家长的言行，则像一本描红的字帖，规范着儿女写好人生大字的间架结构。刘冠雄，以他刚正的性格，潜移默化地影响着子孙的选择。

也许是带兵打仗时时充满变数，处处不离谋略，退职后的刘冠雄，每天生活变得极其简单，虽无枪炮之声，但有军人作风——早上五点，他准时出门，从家中一直走到老龙头火车站，回家后还要练习一遍八段锦。

刘冠雄去世后，张作霖亲自颁布大元帅令，黎元洪、徐世昌等卸任总统都送来挽联和匾额，让刘冠雄的葬礼备极哀荣。据他的后人回忆："出殡的队伍中有西洋军乐队，有绮罗伞盖、马队军队、花圈队、挽联队，中西合璧，气度不凡。操办丧事花费了六万大洋，很大一部分依靠借贷而来。1998年清明节，我们参加了天津市第五批海葬，曾祖父又回到了他献身一生的大海。"

后代人才辈出，家族其乐融融，"海军刘"之精神薪火不熄。天津，给刘冠雄留下了最后的幸福时光和足以笑对未来的希望。

马场道164号
朱启钤故居

知宝，藏宝，护宝

文物专家王世襄这样评价他："可惜现在的人对他知道得太少，不能理解他的重要性。从学术来说，他是中国很多学科的奠基人。"

在民国跌宕起伏的连续剧中，他是出镜率极高的一位。潘复家中常见他的身影，他与雍剑秋一家过从甚密……

他叫朱启钤，是马场道小楼主人公里的寿者，在近一个世纪的生命长度里，他经历了近代中国所有的重要阶段，见证了数不清的进退荣辱和变幻风云。

朱启钤，号"蠖公"，居所也取名"蠖园"。蠖本虫名，《易经》有云"尺蠖之屈，以求信也"，以蠖屈隐喻怀才不遇时的屈身隐退。朱启钤一生风雨，几度起落，只有在天津的那段日子才享受到

朱启钤
1872—1964
祖籍贵州开阳，北洋政府官员，古建筑学家，工艺美术家。1903年，任京师大学堂译书馆监督。后历任北京城内警察总监、东三省蒙务局督办、津浦路北段总办等职。1912年7月起，连任陆徵祥、赵秉钧内阁交通部总长。1913年8月，代理国务总理，后任熊希龄内阁内务部总长。1915年，拥护袁世凯复辟帝制。1919年，任南北议和北方总代表，和谈破裂后退出政界，先后寓居津、沪。1920年，任《四库全书》印刷督理。对中国古建筑艺术颇有研究，曾组织中国营造学社，自任社长。曾办中兴煤矿、中兴轮船公司等企业。中华人民共和国成立后，曾任全国政协委员、中央文史馆馆员。著有《李仲明营造法式》《蠖园文存》《清内府刺绣书画考》等。

建于1922年，主建筑是西式两层楼房，有地下室，楼层均设回廊，造型典雅，庭院开阔，内有假山亭榭，红瓦坡顶，清水砖墙；二层设有拱券式开放柱廊，立面形象十分醒目。

少有的清静时光。1916 年，袁世凯逝后，朱启钤因属帝制祸首之一而遭通缉，直至 1918 年才获赦免。避居天津的他，以"蠖"名园，折射的恰是当时的心境。那几年里，朱启钤"以蠖园为冬居，蠡天小筑（在北戴河）为消夏之处"，在津"冬居"时，这位不同寻常的"蠖公"每日闭门读书，为后半生的建树打下了良好的基础。

朱启钤堪称权威收藏家。他有一本文物账册，是其孙朱文极根据实物清点笔录而成。账册所记显示其收藏范围之广，藏品内容之丰，堪称大观。铜器、瓷器、漆器、木器、竹器、银器、丝绣、书画、碑帖、古墨、端砚、石章、旧纸以及贵重药材、名贵陈酒，应有尽有，无所不藏。

高品位的收藏，让朱启钤的子女从小就长在了文物堆里。朱家后辈回忆，他们儿时玩过家家假扮官员时，身挂的绶带、胸佩的勋章都是价值不菲的珍品。每当女儿出嫁，爱女心切的朱启钤都要在收藏的"宝贝"中精挑细选，充作嫁妆。那本文物账册里，就有"十小姐（朱浣筠）嫁奁详单"一项，详细记载了小女儿出嫁时获赠的珠宝首饰及文物珍藏。

有句话这样形容收藏家，"家藏万贯，身无分文"。因为，一个真正的收藏家，视藏品如生命，不到万不得已，绝无可能将心爱之物变卖提现。寓居天津后，朱启钤没了担任北洋政要时的可观俸禄，生活水平逐年下降，加之连年战乱，他名下的企业举步维艰，又逢夫人卧床多年，医药开支居高不下，最为拮据时，账面竟有十几万元的负债，这逼迫他偶尔会忍痛出售珍藏以解燃眉之急。

早年间，朱启钤曾从恭亲王奕䜣后人手中购得一批自宋至清的缂丝、刺绣珍品，异常名贵。朱启钤将藏品逐一整理著录后，撰述了《存素堂丝绣录》。日本实业巨子大仓喜八郎得知消息后提出愿以百万巨资购买，朱启钤当即以"自己格外喜欢"为由婉拒，他对家人说："这批国宝就是卖，也坚决不能卖给外国人。"1930年，朱启钤创建中国营造学社并影刻宋版《营造法式》，因急需经费，无奈之下，他动了出售这批精品的念头，但询问一圈后，有意购买的都是外国人。与朱家有姻亲关系的张学良听闻此事后，提出由他接手这批珍品，于是，这批缂丝、刺绣精品以20万银圆的价格半送半卖给了张学良。出手前，朱启钤反复叮嘱，"不要让这批珍品流失海外，尤其是日本。"张学良不敢大意，将这批宝物存进了他在东北边业银行的金库中。

中华人民共和国成立后，这批几经辗转的丝绣被国家拨给辽宁省博物馆，一直珍藏至今。

朱启钤寓居天津时，虽然入股了启新洋灰公司、开滦矿务局等实业，但潜心文物收藏与研究，早已成为他生活的重中之重。百年风云散去后，朱启钤在政商两界的光环早已不似当年那般耀眼，然而，他收藏家的风采，却穿越岁月历久弥新。特别是他对国宝的珍视和保护，既体现了一位收藏家的学养，也彰显了一个中国人的气节。

睦南道20号

孙殿英故居

英国古典式建筑风格，外形错落有致，别具一格，十分考究。楼高四层，二楼平台有八根白色立柱直顶三楼，显得古朴典雅；三楼中间四个房间朝南处有四扇门通向平台，四楼东西两端各有一个平台。

东陵大盗，金屋藏毒

　　静谧的睦南道上，有一座小
楼的名声来自三个方面：一是它
的主人的欺世之举，二是它外观
的非凡气派，三是它曾经的肮脏
用途。

这座雄伟的四层小楼，当年对外的名义是军阀孙殿英的"驻津办事处"，实则是他在津行销毒品、经营军火、贩卖假钞的据点，见证了桩桩件件无法见光的罪恶。

1928年6月，孙殿英率部驻防在与清东陵一山之隔的蓟县马伸桥。当时横行此地的惯匪马福田探知东陵一带无人看守，串通其他匪徒意图盗宝。孙殿英闻讯，顿感天赐良机，立刻调动一团兵力开到马兰峪，以军事演习为名全面封锁东陵，一举击溃马匪，并迅速将东陵30里^①范围内列为戒严区，宣布任何人不得靠近。为得到陵墓构造图，孙殿英下令抓来曾在当地守陵的年迈旗人严刑审问，有的体弱老者熬不过逼供竟一命呜呼，其余人等迫于淫威供出部分情报。

---

① 里，市制单位。1里等于500米。

如获至宝的孙殿英，命工兵营用火药炸开慈禧太后的定东陵，见到了慈禧历经十余载面不腐的遗体。他的部下将金棹内棺的稀世珍宝洗劫一空后，孙殿英意犹未尽地决定再掘乾隆皇帝的裕陵，这次他亲自进入墓穴内部点视宝物，得珍珠、翡翠、玉石、象牙、雕刻、字画、宝剑等近五十箱，加封盖章后拉回军营。后来，孙殿英曾这样回忆："乾隆的墓堂皇极了，棺材内乾隆尸体已腐化，只留下头发辫子。陪葬宝物不少，其中最宝贵的是颈上的一串朝珠，一百零八颗中最大的两颗是朱红色。还有一柄九龙宝剑，剑鞘上面嵌了九条龙，剑柄上嵌满了宝珠……"

　　东陵盗宝，令中外震惊，平津一带更是一片哗然，报刊通载谴责文章。隐居张园的溥仪，闻听祖陵被掘，悲愤无比，强烈谴责孙殿英罪行。孙见势不妙，赶紧许以重金，通过戴笠的关系从中斡旋，居然得以脱身。

　　黄金珠玉，毕竟饥不能食，寒不能衣，于是，这座楼就成了为宝藏联系买家的中转站。

　　孙殿英不属于蒋介石嫡系部队，军饷时断时续，他便用赃款购进一批军火。为继续壮大力量，孙殿英想出了制毒贩毒来敛财的主意。他特地从天津日租界聘来两个日本人，在晋城生产"殿英牌"戒烟红丸，销往津晋豫冀等地。他还在小楼的超大地下室里制造、分装"飞鹰牌"毒品，以这些不义之财养活五万人的部队。

　　之后孙殿英就像一棵随风摇摆的墙头草。最终于 1947 年 4 月 2 日，在汤阴被解放军俘虏，不久病死狱中，他并不光彩的一生从此落幕。

睦南道24号
颜惠庆故居

日记里的"民国外传"

在各方势力"你方唱罢我登场"的民国时期，能像颜惠庆这样跨越晚清，再到民国的北洋政府和南京国民政府三个阶段的元老并不多见。

颜惠庆
1877—1950

上海人。早年毕业于上海同文馆，后去美国弗吉尼亚大学留学。回国后曾任圣约翰大学英文教授、商务印书馆编辑、清朝驻美使馆参赞。1912年后，历任北洋政府外交部次长、外交总长、内务总长等职，1926年辞职退居天津。1949年2月，因反对蒋介石继续内战，赴北平与中国共产党共商和平。上海解放后，主持临时救济委员会及中苏友好协会筹备等工作，并应邀出席中国人民政治协商会议第一届全体会议。中华人民共和国成立后，历任华东军政委员会副主席、中央人民政府政治法律委员会委员等职。

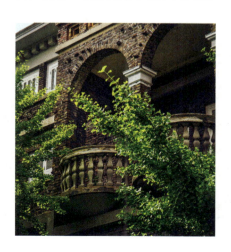

三层砖混结构楼房，欧洲中纪古典主义建筑特征，红瓦坡顶，琉缸砖清水墙面，四联拱形外廊。立面呈对称布置，端正规整。内部房间装修考究，设有造型各异的壁炉，地板及门窗均为名贵的菲律宾木材，充溢着雍容华贵的欧陆风情，墙头上面方形日式玻璃灯独树一帜。此宅初属颜惠庆，后转售大连永源轮船公司经理李学孟。1943年，李以月租伪币3 000元租与伪满洲国作为驻津领事馆使用，直至1945年日本投降。

颜惠庆的人生从高起点开局。

1895年10月，18岁的颜惠庆赴美留学；1900年6月，他以全优成绩从弗吉尼亚大学文学部毕业，成为该校历史上首位获学士学位的外国留学生；同年8月，他回到上海，成为圣约翰大学最年轻的华籍教授，参与创立"寰球中国学生会"，担任《南方报》英文版编辑，在上海文教界崭露头角；1906年10月，清学部奏定《考验游学毕业生章程》，他参考并名列文科第二，后受聘商务印书馆主编《英汉双解标准大辞典》，这是第一本中国人独立编纂的大型英汉辞典。

1908年2月，颜惠庆出使美国，以二等参赞之衔，开始了他的外交生涯。

辛亥革命爆发前，他以35岁的年纪升任外务部左丞。北洋政府成立后，无论外交总长人选如何更迭，他都稳居次长之位，人送"不倒次长"雅号。

1926年6月，颜惠庆辞职后，举家迁往天津。五年后，他以外交元老身份应南京国民政府征召，出任中国驻国际联盟代表团首席代表。从此辗转国内外，结束了他在天津的寓居生活。

20世纪80年代，颜惠庆之子颜植生将父亲的英文日记捐给国家。那些真实的文字，记录着民国时期万花筒般的世相和一个韵味十足的天津。颜惠庆在日记中写道："张作霖

大帅以胜利者姿态进京后不久，我便举家迁往天津。虽然以前曾来过这个北方闻名的商埠，但我对这里并不熟悉。这里住着不少我的旧友，多为退职官员，或下野军人。我选定英租界安居。该地颇适合于家居生活……"

颜惠庆用"迷人而有趣"形容天津上流社会的社交生活："各政治派系集团，直系、皖系、奉系、国会议员、独立自由分子皆自成系统，纵然同处一城，鸡犬相闻，各派系成员都坚守各自的社交圈子，不越雷池一步。除非某些国际社交场合，否则绝少相互往来酬答……"

　　在津期间，颜惠庆的零星回忆，颇有趣味。在他移居天津之初，黎元洪尚健在，且每年以西餐招待朋友一次。黎元洪的日常起居颇为时髦，尤喜西式菜肴，但他在花园中又建有一座旧式戏楼，遇有庆典，常开办堂会招待来宾。当时溥仪住在张园，颜惠庆曾应邀拜访过一次，并在日记中记道："逊帝夫妇礼貌周全，逊帝还与我私下交谈，认为中国应仿效日本，该国的富强令其非常钦佩。他在天津时，总着西装，常陪夫人驱车在马路上兜风。"

　　他也拜访过徐世昌和曹锟，"两位前总统每逢寿辰，都要举行盛大宴会。昔日的同僚旧部、亲朋好友皆前来恭贺致意。徐大总统主要以诗文、书画消磨时光，此外还耕作园中，养花种菜。曹大总统闲居以后难改昔日的脾气秉性，确实也有报道说他索居无味，常常郁郁寡欢。"

在民国外交官中，颜惠庆以"最擅长经商"著称。

寓居天津的短暂几年里，颜惠庆涉足商界，出任天津大陆银行、大陆商业公司、启新洋灰公司、开滦煤矿、庆丰面粉厂、中原贸易公司、平汉铁路、盐业银行、协和贸易公司、中国银行和天津电车公司等多家企业的董事或董事长，不仅积累了丰厚财富，也探索了许多全新理念。他以经营管理企业而得的深刻体悟，在资金链、家族管理等方面提出了极有远见的观点，"新的教育、新的思想和新的经验正迅速地改变着我们的生活方式和传统陋习。新的秩序与制度也将在商贸事业中发育成长。"

外交与经商，看似隔行如隔山，实则隔行不隔理，都需要准确的预判、敏锐的眼光和果敢的决断。颜惠庆凭借自己的杰出才能，在政商两界的大考中，都交出了堪称经典的出色答卷。

睦南道28号
李赞臣故居

李赞臣
1882—1955
天津近代"八大家"之一盐商李春城后代，是"李善人"第三代中的重要人物。

建于 20 世纪 20 年代。砖木结构，混水墙面，欧式古典风格。一楼正立面设有三个拱形大门，二楼设有大型露台，有四根六角形立柱，柱头为科林新式雕花。楼内装修讲究，客厅、书房、卧室、餐厅一应俱全。四周有高墙相围，自成院落。

冰窑胡同"李善人"

"高台阶，黑大门，冰窑胡同'李善人'。"

这句流行甚广的顺口溜让老天津卫"八大家"之一的"李善人"大名鼎鼎。李家祖籍江苏昆山，清代先祖来津落户，住北门里户部街，繁衍了李氏家族。至李春城一代，李家已十分显赫，因他喜做善事，被清政府赠"李善人"称号。

李春城共有四子十孙，李赞臣是他的孙辈。1921 年起，李赞臣开始担任长芦盐区纲公所纲总，兼任纲商所办天津殖业银行经理。他除经营本家族所办和与本房弟兄合营的企业外，还独资开设了"新光皮货店""万和堂药店"等商号。1928 年 10 月，国民政府提出重新清查长芦盐案，他与郭少航、王君直等五人被蒋介石下令逮捕，押解南京候审一年余，才被无罪释放回津。

中华人民共和国成立后，思想开明的李赞臣辞退家中用人，联合李姓家族将私家花园——荣园（今人民公园）捐给国家。他对孙女说："现在是新社会了，我们不要再过这种生活了。"

20 世纪 20 年代，李赞臣父辈四房分家析产，各立门户，大家族从此化整为零。受时局影响，李赞臣的盐务生意一落

千丈，尽管李赞臣与曹锟成了亲家，他的长子李伯福娶了曹家的小姐，但李家搬进这栋小楼时，家道已显中落之势。

沧海桑田并没能改变李赞臣聪明正派、勤奋刚直的本色，他始终秉承着"李善人"多做善事的良好家风。据他的孙辈回忆，"1939 年，天津发大水，那时候水没过我家台阶，爷爷把家里全部用人的家属都接到家里，让他们在侧楼里住着，还有很多难民也都被我爷爷收留下来，等大水退了，爷爷给每家发了一袋洋面才让他们走。"在后辈眼中，爷爷的民族气节也让人可钦可敬，"抗战后，日本人到天津要开采李家的煤矿，可爷爷坚决不让，说条件不成熟。他对家里人说，不能让日本人挖中国的东西。"

李赞臣对子孙要求一向严格，虽然家境富足，但他要求子孙吃饭时不许挑食，每日一餐米，一餐面，交替着来。他平时从不与儿孙说笑，孙辈经过他房门时必须站住叫声"爷爷"。中华人民共和国成立后，李赞臣全家搬到一处小房子居住，全家人一起吃饭，常常相处，祖孙三代才渐渐亲密起来，据他的孙辈回忆，"爷爷很注重孙辈的学习，期末的成绩单一定要拿给爷爷看。大孙女考上了清华大学，爷爷非常高兴；二孙女考上了天津唯一的省立女一中，爷爷还给了奖励。"

在李家后代的描述中，小楼里的年与老城厢的年在习俗上多有不同："刚到腊月时，已开始为过年做各种准备了，大厨房准备年菜的材料，忙得不亦乐乎，平时不用的银餐具都要拿出来擦拭。各房也在做各种准备，尤其是妇女和小孩的衣服，清一色的民族服装——女士穿旗袍，男士穿长袍马褂。一般女士年年换新装，都是绸缎带绣花的旗袍，小孩穿红的占多数，年纪大的是紫红色或其他颜色，总之是非常漂亮的。男士一般不做新衣服，一年拿出来穿一次长袍马褂而已。父辈的衣服是西服裤外罩长袍，中西合璧，很是有趣。

"三十晚12点之前给长辈辞岁，按辈数一一鞠躬，长辈要给小辈压岁钱，红包在爷爷的桌子上摆成一排，数目不大，只是图个吉利。然后陆续到院里的祠堂（供祖先牌位）磕头，再到大楼一层的悬影房（祖先画像称'影'）磕头。每年春节夜间要在院里放一个大烟花，是做成猴子的样子，要爬上梯子点燃，烟花可以喷到四层大平台那么高，这是小孩子们最感兴趣的一个节目。"

睦南道70号
纳森故居

纳森

生卒年不详

　　英籍犹太人。1903 年，经胡佛推荐来到天津，任开平矿务局总办。1912 年，任开滦矿务局董事部主席兼总经理。纳森残酷剥削工人，勾结日军镇压工人运动，引发开滦五矿大罢工和冀东起义。1941 年，日军强占开滦。1943 年，纳森被押往山东潍县集中营。

　　建于 1928 年，典型英国乡村别墅风格，砖木结构，三层西式楼房，红砖清水墙，人字屋架，大坡度筒瓦顶，高低错落。内部装修采用高级大理石地面、硬木装饰，内设餐厅、舞厅、书房、客厅、卧室等。院落宽敞，遍植草木，原有花窖和马厩。

纳森叔侄，"煤霸"一方

天津小"洋楼"里，自然少不了"洋人"的身影。在租界林立、列强割据的时代，"洋人"不但强占着中国的一方领土，还掌控着许多本属于中国人的权利。

清末民初，曾有两个英籍犹太人操控着天津矿业，他们就是拥有叔侄关系的纳森和爱德华·乔治·纳森。纳森，青年时代曾在英军供职，1903年，经胡佛推荐来到天津，出任开平矿务局总办。1912年，开平与滦州两矿合并成立开滦矿务局，办公地仍设在天津，纳森再度成为董事部主席兼总经理。

爱德华·乔治·纳森，1910年来津投靠叔叔，也同样跻身矿务局，人称纳森爱德。1928年，纳森爱德升任开滦矿务局副总经理，从此把持天津煤炭大权直至20世纪40年代初。

纳森在津曾有三处宅邸。一处是位

于今浙江路 1 号的英庭院式三层楼房，共有 44 个房间，砖木结构，红陶瓦顶，曾为英国驻天津领事馆；第二处是位于今泰安道 7 号的中式四合院；第三处则是位于今睦南道 70 号的这栋小楼。其中，这第三处宅邸，被认为是纳森爱德的旧居之处，只是年代久远，他在此生活的日常细节已无从考证。

历史上有过三次犹太人进津潮，至 1935 年，在津犹太人已达 3 500 人，主要从事商业和手工业，两个纳森因为矿业大鳄的身份，成为他们之中的著名人物。

开滦煤矿作为华北地区的重要煤产地，诞生于那个烽烟四起、军阀混战、列强割据的时代。

1903 年，初来中国的纳森，施展腾挪手段，谋得开平矿务局总办的差使。1912 年，袁世凯就任大总统，批准滦州、开平两矿合并，成立中英合办的开滦矿务局，将本部设在天津。此时的纳森，刚刚结束在英国的短暂休整重回中国，因其此前在开平矿务局的任职资历，顺理成章地出任董事部主席兼总经理，他的侄子纳森爱德升任副总经理职务，叔侄二人成了这座煤矿的早期"掌门人"。纳森与其代表的英国矿方，一面贪婪掠夺中国资源，一面残酷剥削中国工人。1938 年，纳森在唐山各矿实行"井下记工制度"，引起矿工强烈不满。中国共产党领导各方力量，在以赵各庄为首的唐山五大矿区，砸毁井下牌子房，联合举行50天的大罢工。迫于工人压力，纳森同意了工人所提条件，但又暗中将煤矿的"包销权"交给了日本人，使得日本人可以畅通无阻地进入开滦矿区，疯狂抓捕罢工领袖。不甘被奴役的矿工们纷纷拿起武器，走上了抗日斗争之路，写就了这栋小楼记载时代缩影的"外一篇"。

大理道39号
张伯苓故居

历久弥新的
"爱国三问"

你是中国人吗?

你爱中国吗?

你愿意中国好吗?

张伯苓
1876—1951

天津人,近代著名教育家。1892年入北洋水师学堂。毕业后入海军服役。1904年赴日本考察教育,回国后协助严修创办敬业学堂,1907年改名南开中学,次年增设高等师范科。1919年创办南开大学,后又开办南开女子中学、实验小学等。抗战期间,南开大学与其他学校改组为西南联合大学,任校务委员会常委。1950年5月,由重庆回到北京,不久移居天津。

现代风格,质朴厚重,线条简洁。主体二层,局部三层,坡层顶,带老虎窗。清水砖墙、腰檐及门窗套秀美典雅,后院开阔且有花草绿地,形成庭院式格局。

1935年9月17日，张伯苓校长在新学年"始业式"的演说中，提出了让南开大学新老同学自省的著名"爱国三问"。

始业式，就是迎接新生的开学典礼。这一天，南开学子最期待校长的演说，张伯苓借这个契机向南开学子重申了南开精神。他的演说别具一格，既不深奥，也不枯燥，带有明显天津乡音的"大白话"，言浅意深，极富激情。在他心中，南开是他的生命；"允公允能 日新月异"是南开的灵魂。

在演说中，张伯苓校长提出"爱国三问"后，主要谈了两个主题，一是"认识环境"，二是"努力干去"。这样的谆谆教诲和殷切期望，即使放在今天也依然具有积极的现实意义。

张伯苓与周恩来的师生情谊长达半个世纪，成为南开校史乃至中国近代史上的佳话。1948年冬，张伯苓辞去南京考试院院长之职，避居重庆，但他没有被那位"南开最好的学生"忘记。1949年1月，北平刚刚解放，傅作义将军就打电话约见张伯苓长子张希陆。两人见面后，傅将军兴奋地说："周副主席告诉我，现在要想办法透消息给张校长，不要让他去台湾。"恰好中孚银行总经理要去香港，两人商议请他到港后，托付张校长的学生——金城银行南京行经理王恩东，设法转告周恩来的挽留之意，只说"老同学飞飞不让老校长动"，而"飞飞"正是周恩来在南开读书时的笔名。在这个中华民族的关键转折点，张伯苓肯定明了其义。果然，张伯苓读罢香港寄来的这封

短信后，顿觉豁然，领悟到学生周恩来对他的深切关怀。他定下心来，一次次婉拒蒋介石劝他同机赴台的请求。

晚年的张伯苓定居天津后，与三子一家住在一起。他的生活极其规律，甚至像钟表一样精准——早晨五点半起床，六点跟着无线电广播做早操，七点吃早餐。张伯苓的早餐规模可观：一碗牛奶；两个溏心的煮鸡蛋，敲开蛋壳用小勺舀着吃下；两个芝麻烧饼；一套豆腐皮卷果箅，抹上面酱；一碗撒着麻酱和芝麻的面茶。

吃罢早餐，张伯苓会在工友陪同下带上孙子孙女出门，先将孙女送到幼儿园，再带孙子绕着民园体育场转上一圈。回家时已是上午十点，他会在沙发上歇息一会儿，听广播，看报纸。张伯苓的午饭通常只是一小碗米饭，午饭后再泡上一杯浓浓的香片茶。下午三点，会有客人或校友陆续前来看望。六点半是晚餐的时间。张伯苓的晚餐同样简单：一小口米饭，一点点菜，半碗汤。他常与夫人开玩笑："晚饭少吃口，活到九十九，我要留后福。"夫人却认为"人过六十，非肉不饱"。

张伯苓没太多嗜好，唯一的乐趣就是对表。晚上八点，他从抽屉里拿出七块手表与广播对时。这些表都是他的学生所赠，有的年代久远几乎已成古董。有时，他会笑着说："名牌也有不准的时候，不是名牌的反而准确无误。"

大理道66号
孙氏故居

那楼，那人，那风云

　　"当今欧风东渐，欲求子弟不坠家声、重振家业，必须攻习洋文，以求洞晓世界大势，否则断难与人争名于朝，争利于市……"

孙多钰
1882—1951
安徽寿县人。1905 年，入康奈尔大学土木工程系学习，回国后被授予工科进士。1910 年，任吉长铁路工程师，1913 年，任沪宁沪杭甬铁路管理局总办。1919 年，接任北京通惠实业公司总裁、中孚银行总经理。翌年任浦口商埠管理局局长。1923 年 1 月，任北京政府交通部次长，翌年辞职。1929 年，接任阜丰面粉公司董事长，并兼直隶滦州矿务公司副董事长、启新洋灰公司常务董事。1937 年起，任开滦矿务局天津局华方经理。

孙震方
? —20 世纪 50 年代初
孙多钰之兄孙多森长子。少年赴美，未入大学。回国后任津浦铁路局出纳科员。孙震方任通惠实业公司总经理不久，即让位于叔父孙多钰。

　　西班牙乡村别墅式风格，主配楼各一幢。主楼三层，正立面为对称式，门厅居中；琉缸砖清水墙面，花岗岩台阶；木檐口，木屋架，瓦楞铁坡屋顶，分设东西两侧，上开天窗，入口设于中部；有独具特色的阁楼状门楼，水波状的白色拉毛院墙具有浓郁的地中海风情。

这是一百多年前的一位洞察世界风云的母亲，为儿子设计未来时的真知灼见。

这位母亲很不简单，她是李鸿章的侄女，大家闺秀，见多识广；儿子更不简单，他是几度风雨后终成一代"面粉大王"的孙多森。八十多年前，孙多森的长子孙震方搬进这栋洋楼，同时进驻的，还有大名鼎鼎的寿州孙家说不完的故事。

江山代有才人出。中国近代史中，可圈可点的大家族层出不穷，它们以矩阵般的群像，以"擎天白玉柱"的角色，支撑着政经工商各个领域的大厦，写就了一个个流传久远的传奇。安徽寿州孙家，就是这样一个"复合型"的名门望族，先辈营造书香之家，后代打造傲人实业，弦歌不辍，续写辉煌。

孙氏家族的兴旺始于孙家鼐，这位清咸丰九年（1859）的状元、光绪皇帝的老师、京师大学堂（今北京大学）的首任学务大臣，虽身居高位，却治家严谨，将优良家风视作家族基业长青的根脉。

孙家鼐一生为官，与商无缘，他的后代之所以实业家辈出，来自与豪门联姻的力量，最重要的一门亲事，非李鸿章兄长李瀚章家莫属。孙李两家的"亲套亲"很是烧脑，大致的关系脉络是——孙家鼐二哥孙家铎之子孙传樾（孙多鑫、孙多森、孙多钰之父），娶的是李瀚章二女儿；李瀚章孙女李国琼，嫁与交通部次长孙多钰；李鸿章四弟李蕴章孙女李国熹，嫁与直隶海关道孙多鑫。

李瀚章尤其器重孙多鑫，曾将其带至两广总督的衙门里生活。正是五方杂处的广州，激活了孙多鑫的商业细胞，使他成年后高瞻远瞩，运筹帷幄，涉足实业界和银行界，成为孙氏家族实业集团领袖，完成了孙家从官宦家族到实业家族的华丽蝶变。孙多鑫、孙多森兄弟同心，在大江南北开创或投资了几十家企业，涉及面粉、水泥、纺织、金融多个门类。1897年，

兄弟二人创办了中国第一家机制面粉厂——阜丰面粉厂。弟弟任总经理，哥哥任协理。一举成功后，兄弟俩的经商天赋引起主办北方实业的亲戚——周学熙的关注。因孙多鑫早逝，周学熙便向袁世凯推荐孙多森，使其进入北洋实业界，孙氏家族也随之将脚步迈进了充满挑战与理想的天津卫。

资金是企业的血液。在周学熙的支持下，1916年11月，孙多森创办中孚银行，自任总经理。银行的多数股东均为孙、周两家亲戚和北洋官僚的亲朋，不久，孙氏家族购入中孚银行全部股权，昔日的"面粉大王"逐渐转型为日后的"银行大王"，引得孙家各房子孙陆续来津安家。

受先祖"中学为体，西学为用"思想影响，孙家人做事总能得风气之先，不仅开公司、办实业独具慧眼，对子女的教育也是紧随新潮。洋务运动大潮初起之时，孙氏家族就已将六个孩子送至美国留学。去时，他们长辫垂肩；归来，已是西装革履，且都有了英文名字。孙多钰、孙震方叔侄就是其中的佼佼者，他们把十六七岁的花样年华交给了异国生活，带回了近代实业的意识。

1919年，孙多森病逝后，孙多钰接掌孙家产业大权，与自己的侄子、孙多森长子孙震方同舟共济，掌握着孙氏家族工商巨轮的航向。血脉相通的叔侄，既是事业搭档，又是隔壁邻居。孙多钰虽受过西方教育，却始终推崇中国传统文化，醉心田园生活，喜欢在院里摆弄花草、辟地种菜；孙震方则活力四射，生活偏于西化，喜欢热闹，善于交际。楼如其人的孙多钰，住在英国乡村别墅式的主楼，田园风光怡人养心；孙震方则住在一墙之隔的西班牙乡村式别墅里，楼虽不算大，但楼内外的每个细节都极其精致讲究，时时处处彰显贵族风范。

中华人民共和国成立后，这个别具风情的庭院，由实业家的宅邸变身为和平宾馆。今天，挂在院门口的那块说明牌上，镌刻着此楼接待过的党和国家领导人名录，那些闪亮的名字，给这座小楼留下了数不清的温暖记忆，奏出了另一曲雄伟的时代乐章。

常德道1号

曾延毅故居

曾延毅

1893—1965

湖北黄冈人。保定军官学校第五期炮科毕业，1920年起，历任山西督军公署少校参谋，山西陆军第四旅营长、团长、旅长。1929年，任天津市警察局局长。中华人民共和国成立后，曾任天津市政协委员、文史馆馆员。

建于20世纪30年代，罗马柱式欧洲中世纪风格，正门有退台式圆台阶，扇形遮雨檐，二楼有圆阳台，全楼规整严谨又不失活泼精巧。

进步火种，在此"潜伏"

"站长虽然在本地安了好几处家，但始终与原配太太住在旧英租界常德道1 号那所大宅子里，所以他对世俗的礼节非常重视，经常对手下讲，纲常就是一切。"

小说《潜伏》中提到的"旧英租界常德道 1 号"，就是这处院落。不同的是，它并非国民党军统天津特务站站长的居所，而是爱国人士曾延毅的故居；相同的是，这里曾经上演的"潜伏"大剧也是一样的惊心动魄。

曾延毅的女儿曾常宁是一直冲在学运前列的进步学生。1945 年秋，天津地下党学委决定，将她的家作为地下党组织的活动点。

从此，曾宅便热闹起来，常有三三两两学生模样的人出入。这些充满革命热情的进步学生，以聚会之名在曾常宁的闺房里畅谈革命理想，宣传党的政策，交换情报，为迎接天津解放作准备。曾延毅的特殊身份成了最好的挡箭牌，没人对这座正在燃烧红色火种的三层小楼起过疑心。见识过大风大浪的曾延毅，岂会对女儿的作为一无所知？这位洞若观火又深明大义的父亲，用沉默表达了他的理解与支持。

1949 年 1 月 31 日，北平和平解放。免受炮火涂炭的古城百姓，记下了傅作义、傅冬菊父女的历史性贡献，在天津的曾延毅、曾常宁父女同样也为这一时刻付出了艰辛努力。

曾延毅和傅作义不仅是保定陆军军官学校的同学，还是金兰结义的把兄弟。由于他和傅作义关系非同寻常，平津解放前夕，中共中央华北局城工部部长刘仁亲自部署，希望曾常宁做通父亲工作，一同争取傅作义。

据曾常宁回忆，当时只有 21 岁的她，在父亲眼里还是孩子，从哪个角度动员父亲让她颇费思量。起初，她只是试探性地将新华社广播的重要消息、社论记录下来读给父亲。后来，曾常宁邀父亲与自己一起收听新华社广播。过了几天，曾常宁见时机成熟，将自己的任务向父亲和盘托出，希望父亲和解放区来的王甦同志见上一面。这一次，曾延毅明确表态，同意。

就这样，王甦成了曾家常客。曾延毅毫无保留地向他介绍了傅作义的详细情况，坦诚提出担心以一己之力难以说服傅作义，极力推荐刘后同先生出山，他说："我们是刘先生的一师之徒，傅作义对刘先生非常敬重。"

为了和平解放北平，曾延毅不惧奔波，三番五次地与刘先生商议，师徒二人不仅共同署名给傅作义写信，还一起去北平亲见傅作义，为和平解放北平，作出了突出的贡献。

1948 年 9 月，受天津地下党学委指示，曾常宁利用父亲的军界关系，开始搜集敌情情报。

一天，国民党塘沽专员崔亚雄来曾宅借住。趁他在客厅会客的工夫，曾常宁悄悄打开了他的公事包，发现里边有份"咸水沽兵力驻扎表"。按捺着加速的心跳，她急忙将主要内容抄录下来，再将文件原样放回，然后轻轻走出房间。刚回到自己卧室，就听到崔专员上楼的声音，她立即将抄件折成小方块，藏在楼梯中间一处护墙板的缝隙中。

为了从崔亚雄处了解更多塘沽一带的敌情，曾延毅经常留他小住。一天，一个全副武装的国民党军人带着一张长卷图纸求见"崔专员"，直觉告诉曾常宁，那卷图纸极其重要，就示意父亲多加留意。晚上，她从父亲口中得知，那张图纸就是"塘沽城防图"。欣喜若狂的她，急忙让父亲复述图纸内容，很快转交给上级党组织。

1949 年 1 月 15 日下午 3 时，正在家中准备迎接解放的曾常宁，听到窗外的枪炮声逐渐稀疏，她知道，胜利已经近在眼前，于是兴奋地推开二楼窗户向外观望，正巧看到解放军列队进入民园体育场。她几步跑回房间取来照相机，抓拍了一张照片，接着又走上三楼抢拍了第二张照片，将这历史性的一刻定格下来，成为天津记忆的一个经典瞬间。

五大道地区

重庆道23号
孟恩远故居

双塔楼里的传说

　　天津小楼的深宅大院里，不仅藏着财富，也带着神秘。

　　这座楼的名气，一是来自它酷似泰晤士河上双塔桥的外观；二是它的主人，准确地说是第二任主人孟恩远。关于孟恩远的发迹，有一个传说流传甚广。

孟恩远

1856—1933

天津人，早年以贩卖鱼虾为生，后入淮军。1895 年，加入天津小站的"新建陆军"，官至北洋陆军第二十三镇统制。1912 年，升任吉林护军使，授陆军中将。1916 年 7 月，任吉林督军、吉林巡抚。1919 年，为奉系张作霖所迫去职，归隐天津。

始建于 20 世纪 20 年代，西洋双塔式风格四层楼房，首层大门中央为宽阔石阶，二层、三层均作壁柱，两侧为尖顶塔楼，外观雄伟，号称"双塔楼"。

1896年，袁世凯小站练兵轰动京城。慈禧太后闻知，专程赴津巡视小站。邀功心切的袁世凯，命新军将士全部操场列队，请慈禧太后观阵检阅。慈禧由太监搀扶绕场一周，袁世凯紧随其后，骑兵营队官孟恩远负责护卫。慈禧哪里见过这种阅兵阵式，左顾右盼时，插在头上的一支镶着宝石的簪子掉落下来。当时，眼见宝簪就要落地，跟在后面的孟恩远眼疾手快，弯腰将簪子捡到手中。

检阅完毕，慈禧正欲回房休息，只见孟恩远三两步跑上前去，双手捧簪跪于慈禧脚下，朗声禀道："凤簪落地，重返佛山。"慈禧太后平素最喜他人称其"老佛爷"，听了这句巧话，不但未因掉簪败兴，反而身心大畅。返京之前，她特意交代袁世凯："那姓孟的可以做点儿大事。"袁世凯心领神会，便一路将其提拔，直至督理吉林军务的镇安右将军。袁世凯逝后，孟恩远依然左右逢源，被段祺瑞委任为将军府将军、将军府惠威上将军。只是，知其底细者，还是习惯暗地里叫他"拾簪将军"。

加入袁世凯新军时，孟恩远已年近不惑，虽文化浅薄，但一路高升的轨迹，在北洋军阀的将领中实属罕见，史学界也一直难解其在新军中快速发迹的谜团。

从1908年开始，孟恩远十年间未曾停歇地青云直上，以队官到将军的华丽曲线，开始总理一省军政事务。正当孟恩远春风得意时，却被卷入了军阀派系争斗。张作霖的多次发难，最终逼迫孟恩远下野回津。

双塔楼房主孟恩远如何获得此宅并搬进居住，史料鲜有详述。孟恩远下野回津后，先是回到天津南郊的西泥沽老家，翻修老宅，盖起孟氏宗祠，后来还捐地创办惠威小学。此外，他还拥有着今属汉沽的三个村庄及清河农场的大片土地。三年后，他以"树德堂孟"的名义从"积德堂鲍"手中购得双塔楼。据《鲍贵卿居津琐记》一文记载，当时，寓居天津的原陆军总长鲍贵卿囊中拮据，将其位于英租界的十余所房屋抵押给孟恩远，外加借款 20 万元。不仅如此，财大气粗的孟恩远还买下今南开中学南侧的大片荒地，准备盖房出租。

第一次世界大战爆发后，中国近代工业逐步兴盛，诱人的利润令各路军阀趋之若鹜。孟恩远当然不会错过如此机遇，大手笔投资面粉、棉纱项目，其中，他入股的福星公司生产的蝙蝠牌面粉让他的财富持续增长，这也终于让孟恩远一扫解甲归田的郁闷，享受起成功搏击商海的另一番快感。

重庆道38号

李爱锐故居

李爱锐
1902—1945
　苏格兰人，生于天津。1907年，随父母回国读书，后考入英国爱丁堡大学。1924年，在第八届巴黎奥运会上摘取400米跑金牌并打破世界纪录。1925年，重回天津，在新学书院任教近二十年。1945年，逝于山东潍县集中营。

　英式现代风格，砖木结构，墙体为琉缸砖，墙面新颖别致。阳台墙为砖砌，上部方形透视孔铁艺精巧。

火的战车，没有终点

他是苏格兰人，

他是奥运会冠军，

他是天津的中学教师，

他是一列始终不惧险阻、呼啸前行的火的战车……

他是埃里克·利迪尔，1902年1月16日，生于天津，中文名李爱锐。他曾在天津度过了人生之初的五年快乐时光，那时，"伦敦差会"院内的小体育场（今天津市口腔医院一带）

上，经常能看到他踢球玩耍的身影。年幼的李爱锐说汉语，穿汉服，尽情沐浴着中国文化。1908年，6岁的李爱锐和哥哥罗伯特远渡重洋，入读伦敦伊尔撒姆学院。

　　在那里，李爱锐显示出超常的运动天赋，当选学校年度最佳运动员，还戴上了学院橄榄球队和板球队队长的袖标。1920年，拥有极强爆发力和惊人短跑速度的李爱锐进入爱丁堡大学学习自然科学，成为学校田径队和橄榄球队的双料明星。1923年，他赢得英格兰400米跑冠军，顺利入选翌年将在巴黎举办的第八届夏季奥运会选手名单。

决赛那天，李爱锐最后一个走上赛场，在非常不利的最外圈跑道上，他以 47.60 秒第一个撞线，最终站上了奥运冠军的领奖台。他直挺上身、张大嘴巴冲刺的那一刻成为奥运史上的经典瞬间。

奥运冠军的光环，笼罩着人生巅峰期的李爱锐。面对一个个抛来橄榄枝的知名公司，他决定放弃那些优厚的待遇，重回有着特殊依恋之情的天津。启程前，他在决心书中写道："来自中国的召唤是如此的热切，我已经做了我终身的决定。我不图荣华富贵，我就是想帮助贫穷落后的中国人。"格拉斯哥一家报社还特意在送行消息中配发了一首短诗：

他去中国跑另一个赛程

像奥林匹克一样勇往直前而且坚定

如果终点一时还难以知明

以他特有的速度，我们判定他必胜

1925 年，李爱锐回到阔别 17 年的天津，在新学书院（今天津市第十七中学）做了一名中学教师，教授数学、化学和体育。

一堂化学实验课上，几种化学物质混合加热后散出恶臭，学生纷纷皱眉掩鼻，李爱锐却伸出一根手指，蘸了一下瓶里的东西放进嘴里。望着目瞪口呆的学生，他慢悠悠揭开谜底："我用食指蘸了一下，放进嘴里的是中指。"学生哄堂大笑，第一次觉得化学课和这位老师一样有趣。

"人生在世，要从小培养一些特长，要对未来高瞻远瞩，要做一个坚持正义、多做好事的人。"李爱锐教给学生的这些做人道理，犹如一粒火种，在他们心中洒下了正义、向上、向善的光芒。

最早将奥运理念带到中国的是李爱锐。1918 年，天津英租界工部局欲建一座四万平方米的体育场。李爱锐受工部局之邀参与体育场改造工程。他根据多年比赛经验，对跑道结构、灯光设备、看台层次逐一提出极具前瞻性的建议，使改建后的体育场（今民园体育场）设施先进程度跃入亚洲前列。

1929 年，英租界当局在此举行万国田径运动会，李爱锐击败世界顶尖高手阿图·费尔沙，获得男子 400 米跑冠军，这也是他运动生涯中的最后一枚金牌。1991 年，李爱锐的三个女儿到访天津，将父亲 62 年前赢得的这枚金牌赠予天津市第十七中学，以做永久纪念。

太平洋战争爆发后，为了征服整个亚洲，1943 年 3 月，日本当局将居住在华北的二十多个敌对国侨民集中起来，作为人质押往山东潍县集中营，李爱锐也是其中一员。

即使在令人绝望的集中营里，李爱锐也依然保持着乐观和热情。他自发组织"康乐小组",为年轻人安排各种文体活动。他是给儿童上课,带孩子们锻炼身体的"埃里克叔叔"。

美国人兰格·登古凯在其《山东集中营内》一书中写道:"他那时充满幽默感和热爱生命的热情,他的热心和魅力,使大家适应了那段苦难的日子。"

由于过度劳累和营养不良,李爱锐患上了脑瘤。1945年2月21日,他在集中营小屋的床上,静静离开人世。直到生命最后一刻,他也没向日军求救。

李爱锐去世37年后,以他为原型,由英国导演休·赫德森执导的影片《烈火战车》轰动世界,摘得第54届奥斯卡最佳影片、最佳原创音乐等四项大奖。只要那首令人热血沸腾的主题曲响起,就会立刻将听者带入一种深沉而激昂的氛围中,李爱锐在操场、在长廊、在海边,带着风、带着笑、带着梦,向着希望、向着远方、向着未来奔跑的身影都会一一重现。

1988年,在李爱锐的长眠之地潍坊,树起一块由苏格兰马尔岛花岗石砌成的纪念碑,正面碑文以中英文镌刻:"他们应可振翅高飞,为展翼的雄鹰;他们应可竞跑向前,永远不言疲劳。"

重庆道55号
庆王府

一个王朝的背影

"庆王府"之名，因这个院落的第二任主人而得；易主之前，它最初的身份是"总管府"，这位总管，指的是清末太监总管小德张。

小德张是这栋豪宅的始建者。从 1922 年到 1925 年，他亲笔写下了这个传奇的开篇。有资料记载，此楼系小德张亲自设计，据其法律顾问夏琴西记述，小德张虽识字不多却异常聪敏，酷爱建筑设计，每张图纸的写写画画都是亲力亲为。砸夯时，他对工匠许诺："你们把地基打得坚固，打一寸厚我给一寸厚的洋钱。"每到下午两点，他都会带上百余现洋来到工地，一边勘验，一边撒钱，工匠们争先恐后地捡钱时齐声高喊："谢老爷赏。"

载振

1876—1947

清宗室，爱新觉罗氏，庆亲王奕劻长子。清光绪二十七年（1901年）被赏加贝子衔，光绪二十八年（1902年），赴英参加英王加冕典礼，并访问法、比、美、日四国，次年赴日本考察第五届劝业博览会。归国后奏请成立商部，任尚书。清光绪三十二年（1906年），清政府颁布立宪，改革官制，任农工商部尚书。清宣统三年（1911年），任弼德院顾问大臣。辛亥革命后居天津，远离政治。

砖木结构，局部三层，平屋顶，带地下室。楼房及附属平房共 94 间，建筑平面为矩形，中间是中空到顶、面积 350 平方米的长方形大厅，大罩棚式厅顶。一二层房间沿大厅周围环绕设置，四面开间，均为"明三暗五"对称排列。一楼除大厅、客厅外，多为住房；二楼为附属房间，局部三层的八间房为专做祭祀和供奉先祖的影堂。二楼大厅四周设有列柱式回廊，可从三面穿堂过厅，厅堂相通，形成空间叠进的幻化之感。楼东花园建有传统六角凉亭，楼北正中门厅方为主入口，青冬石垒就的"宝塔式"高台阶气象威严。

1923 年，小德张举家乔迁，适逢其母 79 岁寿辰。为了大办寿宴，小德张特地在大厅里装上小舞台，请来京剧名角演出庆寿堂会。大厅环廊挂满的绢制宫灯和中间悬挂的巨型走马灯烘托着堂会的喜庆气氛，书法家李兆珍当场挥毫书联："堆秀飞霞尤尽画师神妙，流丹叠翠费煞匠子灵心。"

小德张入住新居后，载振前来做客，对这栋楼"一见钟情"。几经商议，1925 年，载振从小德张手里将此楼买下。从此，世上就有了两座庆王府，一座在北京西城定府大街，一座在天津的重庆道。北京的府邸被"庆王"后人称为老王府；天津的这座府邸则收藏了这个王族最后的繁华。《大清王府》一书对庆王府着墨最多，这既缘于庆亲王奕劻的地位，也因为两座庆王府中演绎的皇族景象都是那般的令人五味杂陈。一座王府折射着半部清史，而当最后的庆亲王载振迁入天津庆王府时，也为那部早已结束的清朝皇族命运史写了一篇补记。

庆王府的悬念，还没进门便已铺排开来。通往大楼正中门厅的 17 级半"宝塔"式台阶，其间寓意被后人演绎得活灵活现。最为普遍的一种说法是，皇家建筑设 18 级台阶，小德张既想攀龙附凤，又恐僭越皇权，故意变通一下，矮了半级台阶，至于真相如何，小德张生前从未回应过这一猜测，也就变得越发模糊而神秘。

一楼的天井式大厅里，曾挂有御赐"宝胄藩厘""徽猷翊赞""天赐纯嘏"匾额和康熙御书白居易诗句"地僻门深少送迎，披衣闲坐养幽情。秋庭不扫携藤杖，闲踏梧桐黄叶行"，加上下设的小型戏台和宝座，处处散发着来自宫廷的气韵。然而，到了天津的载振，身份虽然仍是曾经的王爷和最后的贵族，但在经历时代大转折后，那些曾经的热闹、豪华与奢侈都已渐行远去，与京城定府大街庆王府里的生活更是不可同日而语了。

做了寓公的载振，对皇族子弟最爱的打牌

丝毫不感兴趣，日常生活平淡悠闲，也不是很讲派头。他不喝酒，只喝茶，一日三餐不过四菜一汤。那时的庆亲王，与外界已处半隔绝状态，高朋满座都成过眼云烟，时常往来的只有他儿子的岳父那桐一家，连女儿所嫁的朱家都很少走动。虽然家有汽车，但除了听戏，载振极少出门，仅有的几个爱好就是摆弄他的蝈蝈和鸟，然后把房间里的三四个小座钟调至不同钟点，无论哪一时刻，总会有空灵的钟声回荡府中。他出使外国时，获赠一只好看至极的鹦鹉，红色羽毛，机灵可爱，每当载振起床，仆人喊"太爷爷起来了"时，这只鹦鹉也会跟着喊"太爷爷起来了"。

《百年孤独》的作者马尔克斯算是载振的同时代之人，他曾说过一句参透人生规律的话："生命中的所有灿烂，终需用寂寞来偿还。"奕劻育有六子，有三子夭折，他逝后，长子载振承袭王位，成为最后一代庆亲王。1924年，北京政变，还在的兄弟三人先后来津，偶尔会聚在一起，回忆家族的辉煌过去，忽忽然觉前尘往事如烟散去，再无波澜……

成都道60号
张自忠故居

张自忠
1891—1940

山东临清人。1933 年，任 38 师师长，率部于长城喜峰口痛击日寇。全面抗战爆发后，先后任 59 军军长、33 集团军总司令，授上将衔，历经台儿庄会战、徐州突围、武汉会战、随枣会战、枣宜会战，屡挫敌锋，威震寇胆。1940 年 5 月，侵华日军发动"宜昌作战"，为保卫宜昌，张自忠将军旋居一线，以弱拒强，壮烈殉国，成为中国抗日战争暨世界反法西斯战争为国捐躯之最高级别将领。

砖木结构两层西式楼房（局部三层），楼前用立柱支撑上下两层内廊，两侧有对称外凸多边形房间，立面处理遵循现代简约风格，采用天津地方材料，造型朴实无华。

上将之志，
捐躯报国

　　海河边的张自忠路，像一根琴弦，被滚滚车流弹奏出城市的交响乐章。成都道上这座挂有"张自忠旧居"铭牌的小楼，历经无数晨晖与晚霞，静静地矗立在那里。一条路，一座楼，一动一静，默默怀念的，是同一个大写的人。

　　1936 年，张自忠以"庆安堂"名义购得一片空地建成此楼。天津虽然不是他的故乡，但依然刻下了一道道他人生的深深履痕——在这里，他接受了思想启蒙；在这里，他投入了革命运动；在这里，他成为一市之长；在这里，他话别亲人，血染沙场……

　　1911年冬，张自忠考入天津北洋法政学堂，弥漫在校园中的进步思想和革命气氛令他无比兴奋。初次接触到的三民主义学说，在他心中埋下进步的种子。同年底，他秘密加入同盟会，投入风起云涌的革命运动中。1935年华北事变后，张自忠出任察哈尔省主席。1936年6月，冀察委员会委员长宋哲元调其担任天津市市长。

　　暌违25年，张自忠再回天津，这一次的重逢大不相同。那时，他只是这座城市的普通学生，此刻，他是这座城市的最高行政长官。到任伊始，张自忠就给自己定下"少说话多做事""不干则已，干就干好"两大原则，大刀阔斧地整顿天津的吏治、工商财政、文化教育、社会福利和社会治安，使萧条了十年的天津经济出现了久违的增长。

天津的九国租界是侵略者留下的"伤痕"，租界享有的治外法权，更是让中国人如鲠在喉。张自忠出任市长后，不信邪、不退缩，为天津市民出了一口口的恶气。

　　1936年夏，英租界内发生英国巡捕殴打中国人力车夫事件，全市哗然。张自忠下令，通知英租界内所有中国人力车夫暂停营运。面对近乎瘫痪的交通，英国驻天津总领事署与天津市政府交涉。张自忠正告英方，只有严惩殴打中国人力车夫的肇事者，并保证其后不再发生类似事件，才能解决问题。最终，英方接受了这一条件，整个事件才算告一段落。

　　1937年5月中旬，英国驻天津总领事署举办庆祝英王加冕典礼宴会，招待驻津各国来宾。在商讨来宾身份时，日本华北驻屯军司令官田代

皖一郎坚持以最高来宾身份出席。张自忠闻讯，义正词严地对英国领事表示："英界为中国领土，日军驻津系不平等条约的产物。若以田代为最高来宾，中国方面绝不出席。"结果，英方妥协，确定张自忠为最高来宾。

七七事变爆发后，张自忠出任北平代理市长，结束了一年多的天津市市长生涯，但他留给这座城市的记忆从未远去。

新华路255号
徐世昌故居

徐世昌
1855—1939
　　天津人，1879年，与袁世凯结为盟兄弟。1882年，得袁资助北上入京应试，先中举人，后中进士，授翰林院编修，官至东三省总督，体仁阁大学士，曾任溥仪"帝师"。1918年，任北洋政府总统。1922年6月，被派系"逼宫"下野返津，过起诗书画一体的隐逸生活。

　　此片住宅系徐世昌在英租界牛津道（今新华路与睦南道、马场道交口）购得15.3亩[1]空地所建，共计九座楼181个房间。九座楼虽建在一块宅基上，但自成体系。徐自住一个独立大院，共有楼房26间、平房四间。楼房为西式三层，混合结构，红砖瓦顶，红缸砖砌面。

① 亩，市制单位。1亩约等于666.6平方米。

"徐"徐远去的天津行迹

徐氏的旧居连成一片，曾住过徐世昌和他的夫人、女儿、女婿、外孙。徐世昌只有两女，一女嫁与许大纯，当年属于许大纯夫妇的那栋楼，是徐世昌送给女儿的嫁妆。徐世昌去世后，徐家上下陆续搬出这片豪宅，大部分出租，少部分售与外人。

　　徐世昌回津做了寓公后，全家老小过着俭朴单纯的生活。平日的徐家餐桌上只有一荤一素两个菜，除非遇上老人过寿或重要节日，否则，无论几口人吃饭都不加菜。徐世昌去世后，徐家长辈仅剩他的两位夫人，徐家子孙在她们的言传身教下，从小便养成长幼有别、爱惜粮食、勤俭持家的习惯。徐家的家规条数众多，内容具体，比如，年幼孩子不许与老人同桌吃饭，待年龄稍大懂些规矩后，才能与长辈共进三餐；孩子与老人一起吃饭时，不许说话和剩饭粒，要把最好的菜先夹给老人；每年中秋节，徐家都有"扣锅"传统。这天，全家不做饭，不吃主食，共同体验"吃不上饭"的感觉。徐世昌之所以定下这些规矩，是因为他年轻时落魄，格外珍惜后来的生活。

徐世昌担任民国总统初期，年薪为20万大洋。任职的前两年，他应该还能如数领取，但任职后期，直奉大战爆发，国内一片混乱，总统年薪成为一纸空文。徐世昌半生为官，贪污机会数不胜数，但他对此不屑一顾，好友王怀庆曾以"徐夫人胭脂费"名义送来十万大洋，他不顾老友情谊，任其在客厅枯坐多时，始终避而不见。

经历过"张勋复辟""府院之争"，晚年的徐世昌回忆往事时，感慨一生最困难的便是出任总统的那段时光。1922年，他被迫去职，终于可以告别无尽无休的政坛纷争和困扰，并在此后的17年里，读书、编书、刻书、写字、作画、赋诗、养花、种草，尽情展现他的才学和"文治总统"气质。

生命的最后几年，徐世昌罹患膀胱癌。

当时正值抗战初期，他时刻关注时局变化，日本人几次邀他出山任职，均遭拒绝。1939年，北京方面请他赴京治病，但他担心离开天津后会被日本人胁迫，权衡再三，最终选择放弃治疗。

"八十老翁顽似铁，三更风雨采菱归。"当在小楼里度过惬意晚年的徐世昌，回顾自己从一介书生成为一国元首的不凡历程时，那些曾经的复杂与焦灼，那些曾经的辉煌与落寞，都在起起伏伏中，滑向谢幕的一刻，直至一代"文治总统"的魂灵，在他遍植花木的庭院里，悠然远去。

河北路267号
顾维钧故居

顾维钧
1888—1985
上海人，中国近代杰出外交家。早年留学美国哥伦比亚大学，获法学博士学位。1922年至1926年，任外交总长、财政总长，两次代理内阁总理。九一八事变后，先后任国民党政府驻法、英、美等国大使。1945年6月，出席旧金山会议，参与起草联合国宪章并作为中国代表签字。1956年至1976年，先后任海牙国际法庭法官、国际法院副院长。

建于1921年，西洋古典式砖混结构三层楼房，共有房间48间。木屋架起脊，红缸砖墙面，木楼板楼梯，双槽玻璃窗，二、三楼均有平台。楼门前立有一对巴洛克式麻花柱，楼内卫生、暖气设备齐全。曾作为《大转折》《周璇》《影后胡蝶》《巨人的握手》《弘一法师》《梅兰芳》等影视剧的拍摄地。

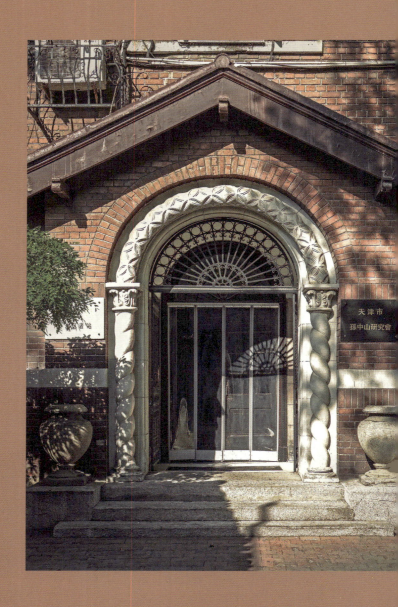

外交总长的国事
与家事

"日本掠夺了中国的山东省，是不是世界的盗贼呢？一块怀表引起牧野先生如此愤怒，那么山东三千六百万百姓丢失山东该不该愤怒，四万万中国人民该不该愤怒呢？"

1919年1月28日，顾维钧在巴黎和会上的震撼发问，问出了中国人永不屈服的骨气。

所以，当有人问他一生中哪件事情做得最突出、最满意时，顾维钧会毫不犹豫地回答："巴黎和会。"

的确，他在巴黎和会上拒绝签字之举，是中国人第一次挺起胸膛向列强说"不"。

　　1919年1月，驻美公使顾维钧作为中国政府全权代表赴法国参加巴黎和会。会上，日本代表团提出继承德国在山东特权的无理要求。1月28日，顾维钧就山东问题代表中国发言，与日本代表团针锋相对。面对咄咄逼人的日本代表，顾维钧将日本全权代表牧野的一块金怀表巧取过来，恼怒而尴尬的牧野大声指责顾维钧是盗贼。岂知，牧野的气急败坏，正中顾维钧的下怀，随即有了本文开头的震撼发问。紧接着，顾维钧又从历史、人文、主权、经济等方面阐明中国必须收回山东的严正立场，赢得各国代表交口称赞，弄得日本代表灰头土脸。只是，操纵和会的"三巨头"为了平衡列强利益，竟然作出同意日本继承德国在山东特权的违反公理的决定。消息传回中国，群情激奋，引发了载入史册的五四运动。

这处津门寓所，顾维钧其实很少居住，建成之后大多时间都作为他的家人短暂停留的驿站。

1922年7月，顾维钧的夫人黄蕙兰从新加坡回国与丈夫团聚，途经天津时，首次在此居住。之后，她一度将此宅借与姐姐使用。后来，顾维钧出于家人安全的考虑，曾经让黄蕙兰和儿女在此处住了一段时间。1924年10月，冯玉祥发动"北京政变"，顾维钧仓促回到这里暂避风头。

顾维钧晚年长居美国，因体衰，已无力从大洋彼岸再来天津旧地重游。为了却思念祖国、重游津门的心愿，他让女儿顾菊珍代自己回国探亲，重访旧居。1980年至1994年，顾菊珍四访此宅。1983年9月，顾菊珍偕夫君严家其访问旧居时，在会议室里，回忆着幼年居津的一段段难忘时光，望着墙上正中悬挂的孙中山先生画像，笑着对其先生说："你看，这里也有孙总理像，咱们在这儿照张相，拿回去给父亲看看，他一定很高兴。"1994年7月，顾菊珍专程带着女儿第四次来到天津。她说，带女儿来，是为了让她了解过去，增强对故土的热爱。

河北路285号

马连良故居

一代须生的天津之家

"劝千岁杀字休出口，老臣与主说从头……" 20 世纪 40 年代，这样的唱词常从这栋奇巧建筑的一扇窗子中传出，让布满"疙瘩"的小楼多了一种难以名状的美感。

五大道风情旅游区"疙瘩楼"的院子里，总是游人如织。吸引他们的亮点，不仅是小楼别致的外观，还有楼内两个房间里陈列的京剧大师马连良的珍贵照片和当年的日常应用之物。除了北京复兴门内大街 54 号之外，天津的"疙瘩楼"是大师的另一处著名故居。

1922 年，马连良与梅兰芳在天津的潘复家中联袂上演《游龙戏凤》后，这座城市就成了他戏剧生涯的重要舞台，也让他在这里赢得了无数戏迷的心。只是，

马连良
1901—1966
北京人，著名京剧表演艺术家，扶风社代表人物。9 岁入北京喜连成科班，23 岁自行组班，创立独树一帜的"马派"表演风格，代表剧目有《借东风》《空城计》《甘露寺》等。

建于 1937 年，意大利风格毗连式高级住宅。四层砖木结构，前后有小院，三层设有圆拱形阳台。外檐立面巧用琉缸砖形成的"疙瘩"作为点缀，与阳台珍珠串式栏杆、窗边水波纹花饰相映成趣，俗称"疙瘩楼"。

每次来去匆匆的他，在津期间，要么住进旅馆，要么在《民生报》主编齐协民、江苏督军李纯长子李振元等友人家中借宿。后来，马连良来津演出日渐频繁，为出入方便，1941年，他在这栋楼里置下两套房产，一套自住，一套出租。

虽说有了自己的家，但这个家只是马连良"出差"时的驿站，每次小住至多十天半月。可就是这短暂的停留，也让各界名流纷至沓来，形成了书画名家爱新觉罗·溥佐回忆中"车如流水马如龙"的盛况。那些曾经的风云人物，如今的潇洒寓公，在对马连良深厚艺术造诣的迷恋中，找寻着京剧给心灵带来的无法替代的慰藉。

意大利建筑师保罗·鲍乃弟设计的这幢新式里弄住宅，原住民多为知识界精英，上佳的人文环境，让马连良在这里如鱼得水，常常灵感乍现，特别是《十老安刘》，删删改改历经多年，许多经典片段就写于此楼，连首演也选在了天津的中国大戏院。

马连良在天津演出颇具轰动效应的一幕，是"南麒北马"的联合登台。1933年4月，周信芳与马连良，这一南一北的两位名老生，相约天津春和戏院，连续四天上演了六场合作大戏，成就了梨园界经久不衰的佳话。

关于马连良的评价，有一句比较著名的话，"对生活精致到苛刻，对艺术苛刻到精致。"他的儿孙认可的是后半句。

马连良对戏曲艺术的每一个环节都精益求精，台词、剧照、服装、动作，一切唯美至上；但对生活细节，他并没有那般"讲究"。据他的孙辈回忆，马连良日常总是穿戴干净、体面，这是他从小养成的习惯，也是长期培养的气质。白天出去遛弯，他穿的布鞋总是干干净净，布鞋的白边会用白色化石粉涂抹。对于其他方面，他显得很随意，没有太多的闲情逸致，只有戏，才是他全部生活的圆心。1966 年，马连良的人生大戏落幕，但他的醇厚京腔，永远留在了天津的"疙瘩楼"里。

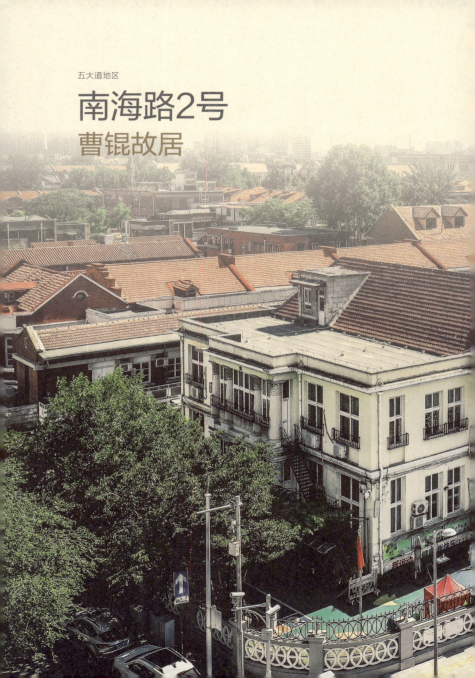

五大道地区

南海路2号

曹锟故居

曹锟

1862—1938

天津人。幼年失学，以贩布为生。1882年，投身淮军，后入天津北洋武备学堂。1890年毕业后，在袁世凯新建陆军任职。1923年，任中华民国第五任大总统。1924年，第二次直奉战争中，因冯玉祥发动北京政变，被囚延庆楼，获释后辞职，寓居天津。

砖混结构带地下室三层小楼，意大利风格，正立面中部前凸，腰线上下均有立柱支撑，顶层四坡出檐，外墙镶有黄色瓷砖，菲律宾木门窗，装修高级。

台上大总统 归隐一"渤叟"

"贿选"污点，影响了曹锟后半生的声誉，成为他无论如何也绕不过去的"差评"。然而，下野之后，曹锟却毫无落差地从庙堂回归江湖，变身民国五位大总统中颇为"亲民"的一位。据邻居回忆，晚年的曹锟衣着随意，喜欢坐在家门口与街坊四邻海阔天空。想想看，树荫下一个穿着汗衫、摇着蒲扇聊天的老者，竟是曾经身居高位的大总统。那一幕，是那般虚幻，又是这般真实。

曹锟生在贫寒之家，父亲曹本生是排船（建造木船）工，育有五男二女，全家生计依靠的只有曹本生和长子曹镇在船行的收入，常常"家无隔宿之粮"。曹锟一生大起大落，归隐后虽曾有总统之名，经济上却并不富裕。从政要重回布衣，他并无太多不适，也许正是他的穷苦出身，给了他泰然处之的豁达，让他没有半点架子。

寓公曹锟的主要生活内容就是书画、打拳、会友和聊天。他对吃很是随意，但每顿饭都要喝上一点儿天津产的直沽高粱酒，偶尔会品一品洋酒。到了晚年，曹锟又迷上河北梆子，兴之所至时，非要哼上几段才算过瘾。不过，他的主要精力还是放在书法和绘画上。每天早晨，他会先到院中习武，然后回屋练一练气功。早饭后，他便醉心书画，只要扎进画室就是几个小时，废寝忘食。

曹锟最得意的书法作品是他标志性的"一笔虎"。每逢亲朋索字，他都会笔走龙蛇，只需一笔便写成一个气韵连贯、苍劲有力的"虎"字，令人叫绝。写毕，他还要精心在条幅右上角钤上图章，再落款"乐寿老人"或者"渤叟"。

1931年九一八事变后，东北沦陷，战火蔓延，日本特务开始网罗汉奸及社会名流，企图建立伪政权实施"以华制华"策略。他们锁定曹锟为重点动员对象，其头目土肥原贤二亲自策划对曹锟的诱降工作，先后派几个日本人去曹宅探访，邀其出山。遭到曹的严词拒绝后，土肥原贤二又生一计，指派曹锟部下齐燮元、高凌霨充当说客，曹锟依然不为所动，一律闭门羹伺候。

1938年，得知台儿庄大捷消息后，曹锟连声说："我就不相信，咱们还打不过那小日本。"同年5月17日，曹锟在寓所去世，临终前告诉女儿："台儿庄大胜之后，希望国军能乘胜收复失土，余虽不得见，亦可瞑目。"在曹锟的入殓仪式上，家人为他穿上总统制服，身旁还放了一个赤金九连环和一柄生前佩剑。

1938年6月14日，重庆国民政府发布训令，追授曹锟为陆军一级上将。

湖南路11号
马占山故居

"还我河山"马占山

刀枪入库，马放南山，对于将军而言，如果能凯旋，那是欣慰；如果是因为有敌难杀，那是煎熬。

马占山
1885—1950
祖籍河北省丰润县，生于吉林怀德。出身绿林，后被收编为衙门哨官。九一八事变后，代理黑龙江省主席，与日军血战嫩江铁桥阵地，一时声名远播。1932年，率亲信二百余人抵黑河，通电全国，再揭抗日旗帜。解放战争时，助傅作义下决心和平解放北平。

建于20世纪20年代，折中主义风格，砖木结构楼房，主体二层，局部三层，带地下室，现已辟为"先农大院展览馆"，内设"马占山将军历史展"。

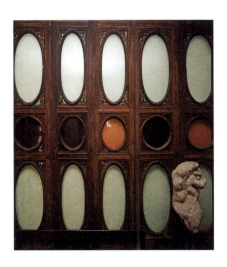

叱咤风云的马占山，蛰居天津英租界的那三年，时常处于有敌难杀的郁闷中。身为抗日名将，由于得不到蒋介石继续抗日的支持，无奈的他只得暂避天津等待时机。

在孙女马志清的印象里，祖父家教极严，很少向家人展示他温情的一面，但他总会在危险出现之前，将家人及时转移到安全地带，自己最后离开。九一八事变后，他托付朋友在天津英租界租下这处房子，让家人先来避难。之所以租住，一来是他始终胸怀"还我河山"的理想，期待有朝一日打回东北老家，并未计划在此长住；二来是相比那些达官显贵，他买房置地的财力明显不足。

远离硝烟的马占山，在津生活十分简单。白天，他常到老部下、老朋友家里聊天打牌；在家

时，一向威严的他寡言少语，只是吃饭时偶尔会看着桌上的饭菜，回想起为躲避敌人追击，深入小兴安岭的大森林时，与战友啃树皮、挖草根，甚至杀马分食的往事。有一次，他讲得兴起，提到当年因抗敌退入苏联境内，后又辗转欧洲时，在德国遇到一个开餐馆的天津人。那人知道他是抗日将领，钦佩地用天津话问他："您老要吃嘛啊？"马占山说，他一直吃不惯西餐，那一次的丰盛菜肴让他吃了顿饱饭。

日本特务得知马占山到天津后，特地成立了由七男一女组成的暗杀小组，并租下距其寓所不足三米的燕安里 1 号小楼，计划使用手榴弹或打黑枪实施暗杀。1933 年除夕中午，马占山在张作相家打牌，马宅突然来了一位不速之客，十万火急地对卫士长杜海山说："我姓崔，是日本特务机关的。日本人派我和其他七名特务，准备趁黑夜暗杀马将军。我知道马将军是抗日民族英雄，我是中国人，受生活所迫当了日本特务，已经见不得人，哪能再跟他们干这丧心病狂没有天良的事？所以特来告诉你们，我愿意协助你们破坏日寇的阴谋。"众人听罢，紧急商议，一致认为事关重大，宁可信其有，不可信其无。于是，一面派人火速通知马占山，叮嘱他切勿回家，一面在现场埋伏侦缉队张网以待。最终，除一个日本特务被当场击毙外，其余特务全部被捕。

七七事变后，马占山更觉天津危机四伏，遂将家人安顿至上海。他最后一个离开那栋小楼，再次投身抗日战场，续写他的光辉人生。纵观马占山的戎马生涯，抗战卫国是他的主线，不打内战是他的底线。抗日战争中，他奔袭千里雪原，打响了武装抗战的第一枪；解放战争时，他为傅作义献计献策，推动了北平和平解放进程。他留下的"为国家奋斗到底，实事求是"遗训，一直影响着子孙后代。

泰安道15号
孙传芳故居

孙传芳
1885—1935
　　山东泰安人。北洋陆军速成学堂、日本陆军士官学校第六期步兵科毕业，经廷试为步兵科举人。北洋政府时期，曾任显职，1927年，被北伐军击败下台。九一八事变后，迁居天津英租界。1935年11月13日，被施从滨之女施剑翘枪杀于紫竹林清修院居士林。

　　1922年建成，混合结构二层楼房，配设造型独特牛眼窗，水刷石墙面。一、二层均设回廊，正立面入口有四根爱奥尼柱。西洋古典风格，造型简洁大方。原为北洋政府财政总长张弧住宅，1925年曾作为日本便衣队情报传递点。1933年，孙传芳购得此楼。

孙氏传芳 喋血佛堂

1935 年 11 月 13 日，下午。

天津居士林佛堂内。

一声枪响划破宁静，一位身披袈裟的居士应声倒地，持枪刺客并未逃离，而是立在原地自报家门……

这一离奇事件，迅速登上次日《新天津报》的号外，醒目的大标题写道"孙传芳被刺死 施小姐报父仇"。这个"君子报仇十年不晚"的人间传奇，宣告曾"开府南京、领袖五省"的大军阀孙传芳，下野移居天津后，死于非命。天津，作为他的人生终点站，虽然没有一丝他驰骋疆场打打杀杀的痕迹，却留下了他的那座故居和被刺奇闻。

孙传芳祖上并无从军之人，在那个"好人不当兵、好铁不打钉"的年代，他走进兵营实为生活所迫。

1902年到1912年的十年间，从学堂到日本陆军士官学校步兵科，再到清政府陆军部授步兵科举人，孙传芳学到了兵书中难得的真功夫。民国建立后，军阀割据，孙传芳游走在皖、直、奉各系之内，斡旋于王占元、曹锟、吴佩孚乃至张作霖之间，似乎总能在群雄逐鹿中找到他的有利之路。孙传芳以他练就的"漂泊童子功"，从一个"寄居"转到下一个"寄居"，与童年境地不同的是，他的"寄居"之树越来越茂，"寄居"之台越来越高，没了凄苦悲惨，全是游刃有余。

孙传芳人生最为得意之事，是大败山东军务督办张宗昌部于安徽固镇。张部前敌总指挥施从滨被俘，孙传芳毫不顾及须发皆白的施从滨年事已高，不仅对战俘痛下杀手，还将施总指挥暴尸三日。

施从滨被杀时，其女施剑翘不足 20 岁。在对哥哥和丈夫失望之后，1935 年初，是父亲被杀的第十个年头，施剑翘离婚，带着两个儿子赴津报仇。

施剑翘并不知道仇人模样，一次，她在一个摆有许多名人照片的算命摊上，发现了孙传芳的照片，如获至宝买回藏好。后来，她偶然又从大儿子那里得知，孙传芳之女孙家敏与他同在一家幼稚园。她感慨着这个"得来全不费工夫"的消息，每天隐在幼稚园附近观察，记下孙传芳那辆车牌号1093 的黑色轿车的样子，摸清了孙家老小每周末去电影院的规律。某个周末，法租界电影院门口，那辆熟悉的黑色轿车开近，停下，一男一女带着一个小女孩下车，施剑翘深吸口气，确认眼前这个男人，就是杀父仇人孙传芳。

孙传芳哪会想到，从这一刻起，他的生命开始进入倒计时，怒火焚心的施剑翘正将复仇的枪口一点点地瞄向他……

1933 年，孙传芳与原北洋政府总理靳云鹏联手购入天津城东南角草场庵的一座清修禅院，改为天津佛教居士林，靳云鹏任林长，孙传芳任副林长，规定每周日居士来此诵经，陆续吸引入林居士超过 3 000 人。施剑翘化名"董惠"混入居士林，详细掌握了孙传芳的活动时间。

11 月 13 日，孙传芳起床后，整个上午都在书房习练书法。吃罢午饭，他离开居所准备前往居士林。夫人劝他，雨天路滑，不去为好，但他不愿改变长期养成的习惯，一如往常去了佛堂。那天，正是施剑翘选定的动手之日。她提早坐进佛堂，外表一片平静，内心却波涛汹涌。见孙传芳所坐位置较远，她悄声问看堂人："我的座位离火炉太近，烤得难受。前面有空位，可不可以往前挪一下？"经看堂人准许，施剑翘站起身来，缓步走到孙传芳背后，拔出手枪对准他的耳后扣动扳机，孙传芳应声扑倒在地，接着，施剑翘又朝他脑后和后背连开两枪……

身披袈裟的孙传芳，再也没能醒来。直到人生画上句号之时，他也未能参透，有些罪恶，即使放下屠刀，也难立地成佛。

四川路2号
靳云鹏故居

靳云鹏
1877—1951
山东邹城人。天津武备学堂出身，曾任山东督军及北洋政府陆军总长，1919年与1921年两度出任国务总理，后寓居津门。

庭院式洋楼，前后两幢，均为砖木结构。前楼是主楼，带地下室，共三层，正面有宽大台阶，一、二楼前廊上下拱口用八根水泥柱衬托。三楼有屋顶平台，住房高大，顶棚有各种花纹线条；后楼是两层带前廊条式楼房。

"政治麻将"，一推"和了"

"武夫当国"的北洋政府时期，各路政客你来我往。北京见证着他们得意时的显赫，天津抚慰着他们失意时的寂寞。在那一长串名单中，自然少不了靳云鹏的身影。

靳云鹏资历颇深，在北洋派中的地位仅次于王士珍、段祺瑞、冯国璋，与皖系、直系、奉系各巨头都有亲密交往。民国初年的风云变幻，走马灯般在他的眼前更换着场景。靳云鹏当政时，剪不断理还乱的各派纠纷，让他在权力的沉浮

中疲于应付；下野后，他在天津"躲进小楼成一统"，步北洋同僚后尘，将生活重心转向投资办厂。

靳云鹏出任国务总理期间，国库空虚，面对各种资金缺口，他深感捉襟见肘，只得左修右补。他的最大隐忧，就是一旦军饷欠发，各省便有兵变危险。各路诸侯的催款电报，压得他根本透不过气来。

无计可施的靳云鹏，只好请来张作霖、曹锟、王占元、曹锐召开"巨头会议"。但在会议上，巨头们各执己见，甚至大打出手，最终会议不欢而散。靳云鹏一气之下，撂挑子不干了，还将家眷接到天津，以表辞职决心。后来，还是张作霖、王占元出面说和，一场暴风雨才算平息。

此次冲突之后，"巨头会议"就从会议桌改到麻将桌。他们将彩头设得很大，输赢动辄几十万元，只是大输家从无悬念，必定是靳云鹏。这正是靳云鹏使出的缓兵之计，他用"政治麻将"逢迎巨头们，反正无论输进去多少都由公款开支，他还吩咐财政部特拨30万元经费供大帅随员开销。

俗话说"拿人手短"，大帅也概莫能外。靳云鹏的这一招果然灵验，索饷问题无人再提。然而，再频繁的麻将局也堵不住筛子式的窟窿，在各系军阀的多方夹攻下，靳云鹏的总理宝座依然处在风雨飘摇中。1921年12月17日，他提出了辞职。

下野后，靳云鹏虽然仍有东山再起的念头，但主要精力已经转移到投资上。

从1908年至1926年，靳云鹏独家投资或合伙经营的企业超过20家，拥有资产至少6500万元。

到了晚年，靳云鹏的寄托，不再是大出大进的商海博弈，而是转向参禅悟道、拜佛诵经。1931年，靳云鹏正式皈依佛门，每日必到由洋行买办陈锡舟创办的居士林礼佛听经。他还在家中设立佛堂，孙传芳正是在他的劝导之下开始信佛。不久，陈锡舟病故，居士林无人操持，靳云鹏、孙传芳遂与盐商"李善人"的后代李颂臣商议，集资将东南角的李氏家祠清修禅院改建为居士林。

靳云鹏在津有两处保存完好的寓所，一处便是本文提到的这座位于今四川路2号的小楼，他在1929年以延福堂名义购地建成。靳云鹏住主楼一楼，室内设有佛堂。1937年七七事变后，日本特务头子土肥原贤二多次派人劝他放弃隐居生活，与日本人合作组织华北伪政权。与当时许多风云人物一样，在民族大义面前，靳云鹏保住了气节。他每日依旧在这所房子里打坐念经，寻求心灵的平静。

1949年，靳云鹏搬入今南海路尚友村1号的另一处居所，那里有楼房十间，平房两间，在那里他度过了人生的最后两年。

赤峰道76号
范竹斋故居

范竹斋

1869—1949

天津人。17岁入天津双福成广货庄学徒。1901年,任景德和棉纱庄驻沪经理。1906年,与金桂山、潘耀庭共设瑞兴益纱庄。1913年,开设同益兴纱庄。1919年,集资创办北洋纱厂。1928年,开办靖源隆纱布庄,跻身天津"纱布八大家"。后以第五任经理身份主持法商东方汇理银行华账房事务。

通道式建筑,一面为带门洞的三层砖木结构楼房,中二楼较低。单栋楼均为带地下室的二层砖木结构楼房,楼前有十级宽条石台阶,二楼有三面相通楼道,外侧有瓶柱式装饰。院中有座圆亭式建筑,外配八根爱奥尼柱,建筑内花砖铺地,楼顶平台设圆形石头亭。

纱布之王的风"范"

风水轮流转，明年到谁家？

每个时代，都会催生出不同的新兴行业，而这些行业的头部企业，就是那个时代当之无愧的领军者。

从创业之初到鼎盛阶段，范竹斋一生与"纱布"结缘，终成一个时代的商界翘楚。

1919 年，选址挂甲寺旁的北洋纱厂，由天津敦庆隆号纪姓资本家联合隆顺、隆聚、同益兴、瑞兴益、庆丰益、万德成共七家棉布商号创办，其中的同益兴由范竹斋独资兴办，瑞兴益系范竹斋与他人合营。

1921 年，北洋纱厂正式投产，定名"北洋商业第一纺织股份有限公司"。在范竹斋等股东的宏大计划中，北洋纱厂的愿景将是一个规模庞大、分厂林立的纱布帝国，彰显了那一代资本家对纺织业乃至民族实业的气魄。

然而，与丰满理想不期而遇的，总是骨感的现实。于外，国外资本和商品源源不断侵入中国；于内，北洋军阀肆意摧残民族工商业，导致北洋纱厂还未兴盛就已衰败。最初的蓝图瞬间变成废纸，重创了范竹斋等人的信心，他们纷纷退出股份。1930 年，北洋纱厂改由张作霖扶持的章瑞庭独资经营，更名为"北洋新记商业第一纺织公司"。

为了寻求发展，范竹斋在开办靖源隆纱布庄的同时，还组织创办了嘉瑞面粉厂、福安信托投资公司等。

当时，越来越多的商号与洋行合

作，只是结算时，洋行只收外商银行的"番纸"或用现金支付，不收银号支票。为了方便大客户，同时也想谋得一己之利，银号便将从商号处收取的外商银行番纸，转存至外商银行的华账房。商号需要取款时，可向银号索要华账房开具的支票兑付。然而，兑付时还要同步外商银行的对账时间，如此过程特别烦琐，于是，华账房便自行开发出一种"支条"，与外商银行的番纸享受同等待遇，这种因自上而下书写方式得名的"竖番纸"，极大便利了华账房与银号之间的往来。

正金洋行买办魏信臣的"信记"竖番纸最早在市场流通，此后各外商银行华账房纷纷效仿，约定俗成以买办之名或号中一字作为代号，福安信托投资公司所用"番纸"采用的代号自然为"竹记"。后来，范竹斋应法商东方汇理银行之聘，主持其华账房事务，成为它的第五任经理。

范竹斋酷爱书画，晚年更是广收佳作。20世纪30年代，张大千经常往来京津等地。在津举办画展时，张大千与范竹斋一见如故。得知范竹斋喜欢书画且收藏可观时，张大千希望一睹为快，范竹斋爽快应允，将吴昌硕的《十二条花卉》、陆廉夫和马家侗的《十二条山水》以及陈老莲的《荷花》取出与之共赏。趁两人谈兴正浓时，范竹斋提出重金请张大千为其绘制12幅山水画的想法。

1938年3月，张大千用时半年完成《十二条临古山水画》

组画，作为范竹斋 70 大寿的贺礼。组画是张大千所临的唐、宋、元三代名家力作各四条，包括临唐代阎立本的《西岭春云图》、王维的《江山雪霁图》、杨升的《峒关蒲雪图》、李昭道的《海岸图》；摹宋代范宽的《临流独坐图》、缂丝高手沈子蕃缂织的《山水人物图》；仿元代王蒙的《清浦垂钓图》、倪瓒的《小山竹树图》、盛懋的《苏长公行吟图》等。这套《十二条临古山水画》被范竹斋当作传家之宝。

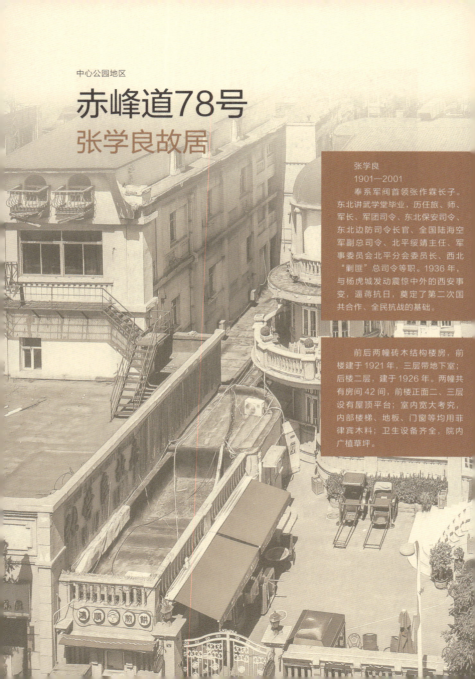

赤峰道78号

张学良故居

张学良
1901—2001
奉系军阀首领张作霖长子。东北讲武学堂毕业，历任旅、师、军长、军团司令、东北保安司令、东北边防司令长官、全国陆海空军副总司令、北平绥靖主任、军事委员会北平分会委员长、西北"剿匪"总司令等职。1936年，与杨虎城发动震惊中外的西安事变，逼蒋抗日，奠定了第二次国共合作、全民抗战的基础。

前后两幢砖木结构楼房，前楼建于1921年，三层带地下室；后楼二层，建于1926年。两幢共有房间42间，前楼正面二、三层设有屋顶平台；室内宽大考究，内部楼梯、地板、门窗等均用菲律宾木料；卫生设备齐全，院内广植草坪。

风流少帅 情定津门

风吹芭蕉雨打萍，聚散不了情。

　　张学良与天津颇有渊源，他在天津拥有多处房产，其弟张学铭曾任天津市市长，他的众多亲属也都扎根天津。天津，不仅是他军政生涯的重要节点，还是他百年传奇爱情的诞生地，他在这里与赵一荻为爱痴狂。

　　赵一荻，原名香笙，生于香港。父亲赵庆华为女儿起名"绮霞"，寓意为瑰丽彩霞。因绮霞在姐妹中排行第四，家人称之为四小姐，外人则称赵四小姐。赵庆华曾任清邮传部主事，津浦、沪宁、沪杭甬、广九等铁路局局长，梁士诒任国务总理时期，他官至交通部次长，还做过交通银行经理、东三省外交顾问。

赵一荻少年时随家人来到天津，就读中西女子中学，一荻是她英文名字的译音。

赵一荻与张学良的相遇，民间流传多种版本。一说，二人相遇于张学良的"少帅府"；二说，他们邂逅在蔡少基公馆的舞会上；三说，赵四小姐与张学良在大华饭店舞厅相识。无论哪个版本，这段浪漫情缘都绕不过去"一舞倾情"。

张学良晚年回忆："我跟太太（赵一荻）认识的时候，她才16岁。"那是在某个盛大的舞会上，豆蔻年华的赵一荻静静地坐在大厅一角，品茶观舞，她的温婉恬静与那些旋转舞动的身影形成鲜明对比。一个又一个小伙悄悄打探着她的来历，一次又一次鼓起勇气邀她共舞，但都被她含笑婉拒。突然，门口一阵骚动，一个英俊军官在侍卫簇拥下大步走进舞厅。他在人群中一眼便看到了与众不同的赵一荻，笑意盈盈地走过去邀她共舞。仿佛一直在等待这一刻的到来，赵一荻欣然应允。在旋转的舞步中，两个人越跳越近，两颗心彼此吸引，但可惜一支舞曲还没结束，张学良就接到急电匆匆离开。

一边是风度翩翩、拥兵万千的少帅，一边是情窦初开、仰慕英雄的少女，两个人虽只短暂相处，却已互相牢记心底。

1929年9月的一天，赵一荻留下一张字条，以探望生病的张学良为由，只身离家赶赴沈阳。消息传开，擅写花边新闻的小报立刻刊发"赵四小姐诡谲失踪"的新闻。盛怒之下，赵庆华在报上连登五天启事：四女不孝，与人私奔关外，有辱门庭，声明自即日起，与赵一荻脱离父女关系，断绝一切往来，并宣告自觉惭愧，从此不再为官。

多年以后，张学良对学者唐德刚说，赵一荻"只是来看看他，还是要回去"，可赵庆华的登报声明，反倒堵住了赵四小姐的回家之路。直到1952年病逝，赵庆华都不肯原谅这个他最钟爱的小女儿，这成为赵一荻心中永远的痛。

跌宕起伏的命运并没有动摇两人的爱情，两个35年前便一见钟情的人，终于在1964年正式结为夫妻。在《新生命》一书中，赵一荻深情写道："为什么才肯舍己？只有为了爱，才肯舍己。世人为了爱自己的国家和为他们所爱的人，才肯舍去他们的性命。"

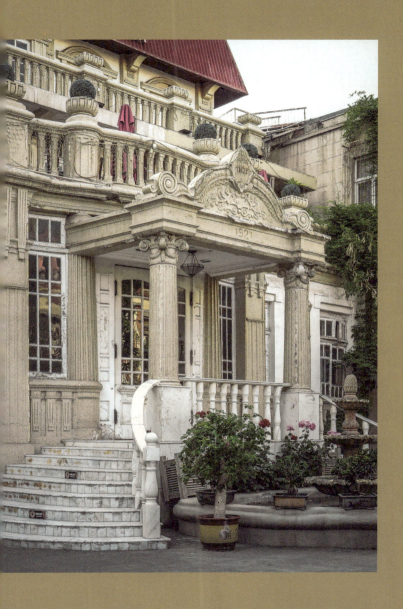

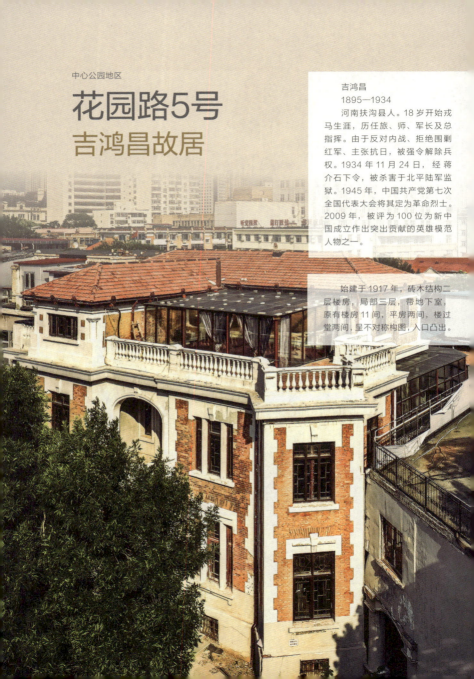

花园路5号
吉鸿昌故居

吉鸿昌
1895—1934

河南扶沟县人。18岁开始戎马生涯，历任旅、师、军长及总指挥。由于反对内战、拒绝围剿红军、主张抗日，被强令解除兵权。1934年11月24日，经蒋介石下令，被杀害于北平陆军监狱。1945年，中国共产党第七次全国代表大会将其定为革命烈士。2009年，被评为100位为新中国成立作出突出贡献的英雄模范人物之一。

始建于1917年，砖木结构二层楼房，局部三层，带地下室，原有楼房11间，平房两间，楼过堂两间，呈不对称构图，入口凸出。

吉鸿昌：我何惜此头

吉鸿昌是从士兵到将军的范本，他的每一个足迹，都化作了支撑光荣与梦想的根基。

1913年秋，不满18岁的吉鸿昌弃学从戎，投身冯玉祥部，因骁勇善战，从士兵升至军长，始终未变"当兵救国、为民造福"的初衷。

1930年春，中原大战爆发。吉鸿昌被冯玉祥委任为第11师师长，率部作战豫东，重创蒋军。但在蒋介石分化之下，反蒋战线四分五裂，西北军全线崩溃，分别被蒋收编，吉鸿昌被任命为22路军总指挥兼30军军长。不久，蒋介石电令吉鸿昌赴皖"围剿"红军，并安排特派员督战，但吉鸿昌向部下宣讲"枪口不对内""中国人不打中国人"思想，并修书苏区，表示绝不与红军刀兵相见。1931年9月21日，吉鸿昌被蒋介石逼迫出国"考察实业"。

短暂的国外生活强烈刺激了吉鸿昌。一次，他往国内邮寄衣物，邮局职员竟不屑一顾地表示"世界已无中国"，陪同参赞见状，半劝半怨地对一脸怒色的吉鸿昌说："你为什么不说自己是日本人呢？"吉鸿昌当场变了脸色："你觉得当中国人丢脸吗？可我觉得当中国人光荣！"过了几天，他找来一块木牌，在上面用中英文写上"我是中国人！"每到一处都昂首挂上这块木牌，彰显着一个中国人的尊严。

1932年，上海一·二八事变爆发后，吉鸿昌立即回国寓居天津，秘密与中共华北政治保卫局联系。同年4月，吉鸿昌在北平加入中国共产党，一粒红色火种改变了他的人生轨迹。

1934年5月，吉鸿昌在天津组织成立"中国人民反法西斯大同盟"，被推为主任委员，致力抗日民族统一战线工作。这栋洋楼的阁楼被吉鸿昌改造为秘密印刷所，不仅出版机关刊物《民族战旗报》，还肩负着党组织地下联络站的使命，党内同志都亲切地叫它"红楼"。

吉瑞芝，吉鸿昌的女儿，残酷的命运只在人生起点给了她与父亲相处的两年时光，那时，尚未记事的她记住的仅是父亲的模糊轮廓。关于父亲的许多细节，都来自母亲的讲述。

吉瑞芝回忆："我1932年出生，出了妇产院就住进这里。1930年，父亲买下了这座楼，当时他还写了一副'松间明月长如此，身外浮云何足论'的对联抒发感情。二楼半的位置是我的房间，我印象最深的是地下室拾掇得特别干净，我们全家和官兵都在这里吃饭，两位副官和二十多位传令兵住在这里。

"父亲从不单独用餐，也没有特殊碗筷和菜品，都是和士兵一起，端起蓝边大碗，吃得津津有味。我梳个小刘海，穿着小布衫，一条紫花布裤子，一双小布鞋，扎一条腰带，一只边上钻了小眼儿的搪瓷小碗，用细绳拴在腰带上，走起路来叮当作响。

"每顿饭前，父亲让我做的雷打不动的功课是大声背诵'我是中国人，绝不当亡国奴'。那时的我口齿刚刚清晰，还不懂这句话的含义，但是不背完不准吃饭，日久天长，'中国人'这三个字就烙在了我的心里。

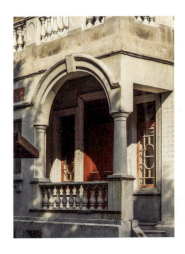

　　"我家的院子挺大，有秋千和单双杠。父亲荡秋千特别帅。天气好时，只要他不出门，就带我到院子里荡秋千，从后面把我一推，大声喊'拽住绳子'，我就颤悠悠荡了起来。回到房间，有时我缠着他骑大马，他就顺从地趴在地上，做我的'战马'，蹭着地板一圈圈地转。牛副官总说，总指挥打仗从来不要命，拦都拦不住，可一回家，不像别的长官凶得不得了，连大声说句话都不会，一派儒将之风。

　　"1934年11月9日，父亲照常出去开会。谁知这一走，再也没有回来。"

　　"红楼"的二楼客厅最为独特，一室六门将本来完整的空间割得七零八落。这是吉鸿昌的创意，为的是在地下党集会出现危险时可以迅速撤离。

加入共产党后，吉鸿昌的境界日渐升华。他与夫人多次变卖家产，一次党费就交了六万银圆，用于购买武器送到抗日前线。在那段血雨腥风的日子里，这座名副其实的功勋楼，不知掩护了多少抗日志士。

1934年11月9日，吉鸿昌遭到军统特务暗杀，随即被逮捕。11月14日，吉鸿昌被引渡至天津公安局审讯，后又被押往国民党第51军军法处受审。此后，国民党中央军委北平分会负责人何应钦令天津当局将吉鸿昌押解北平。23日，北平军分会举行"军法会审"。吉鸿昌在法庭上慷慨陈词："我是中国共产党党员，由于党的教育，我摆脱了旧军阀的生活，而转到工农劳苦大众的阵营里来，为我们党的主义，为全人类解放事业而奋斗，这正是我的光荣……"24日，"军事法院"以"通共国贼罪"判处吉鸿昌枪决。

39岁的吉鸿昌，在信仰上真正做到了"不惑"。

在电影《吉鸿昌》中，他雪地作诗"恨不抗日死，留作今日羞。国破尚如此，我何惜此头"的慷慨一幕永远定格于国人记忆中。今天的"红楼"门前草坪上，吉鸿昌将军的雕像横刀立马，眺望山河。吉瑞芝说，这不是简单的父亲故居，而是令人敬爱的一座楼，浓缩了"中国人不可辱"的精神。

鞍山道38号
段祺瑞故居

段祺瑞
1865—1936
安徽合肥人，民国时期政治家，皖系军阀首领，号称"北洋之虎"，孙中山护法运动的主要讨伐对象。曾四任总理和陆军总长。1916年至1920年，为北洋政府的实际掌权者。1924年至1926年，为中华民国临时执政。

建于1920年，三层砖木结构楼房。三层欧式古典风格建筑。楼房前部为条石高台阶，柱式外廊，多坡屋顶。原在顶部有一八角凉亭，地震后被拆除，是当年日租界最豪华的私人公馆式住宅。

绵绵不休
天津缘

在晚清民国的历史片断中，段祺瑞是个无论如何也绕不过去的人物，从他早年跟从袁世凯起家，到后来在北洋政坛呼风唤雨，20 世纪初诸多载入史册的大事件都与他有着千丝万缕的联系。

段祺瑞一生的弯弯直直，都以天津为转圜之地，这座九河下梢的城市，滋润着他的表与里，见证着他的成与败，记载着他的欢与悲……

段祺瑞生在一个军旅气息浓郁的家庭，受家风影响，十几岁的段祺瑞远赴山东投奔身入行伍的叔叔，开启戎马生涯。1885 年，正处洋务运动中的清廷，秉承"师夷长技以制夷"的理念，在天津创建北洋武备学堂。学堂首批学员，多从淮军之中选拔，段祺瑞就是其中之一，学堂分步、马、炮、工程四科，他被分在炮科。

几年后，段祺瑞以"最优等"成绩毕业，不久就被选派前往德国深造，进入柏林军校，仍然研习炮兵之术。在德期间，他曾到世界知名的克虏伯兵工厂实习，大开眼界。

　　1900年，八国联军攻陷天津，北洋武备学堂被焚。20世纪初，由于北洋军迅速扩充，对军事人才需求日益迫切，袁世凯决定着手恢复北洋武备学堂，承办此事者正是段祺瑞。

　　袁世凯死后，黎元洪继任大总统，段祺瑞出任国务总理。两人分庭抗礼，在国务秘书长人选和是否对第一次世界大战中的德国宣战等重大问题上意见相左，产生了影响深远的"府院之争"。

1917年3月4日，与黎元洪撕破颜面后，段祺瑞负气出走天津，经冯国璋劝说才重返北京。5月，黎元洪下令免去段祺瑞总理职务，他再次离京回津，通电表示拒不承认黎元洪命令。这次纷争，竟意外给了张勋机会，导致了后来的复辟闹剧。7月，在击退张勋、将冯国璋迎进北京就任大总统后，段祺瑞在天津重获总理职务。

段祺瑞第二次退居津门时，是在1920年直皖战争失败后。1924年11月，他返回北京就任临时执政。1926年三一八惨案后，段祺瑞通电下野，再次寓居天津，住进了这个院落。

段祺瑞的在津生活，简单而规律，据其外孙女袁迪新回忆："每天早上起来，外公头件事便是念经诵佛。待吃过早饭，他的老部下王揖唐便过来，带他整理编选历年来的诗文，准备刊印一部《正道居集》。午睡之后，外公照例是下围棋，晚上打麻将。"

居津时，段祺瑞自号"正道居士"，这其实只是他的一厢情愿，因为他从来无法真正做到置身政事之外，每段历史的风云变幻，都不会遗漏他的身影。

日本侵华脚步加快后，段祺瑞在天津的日子也渐受影响。日本特务头子土肥原贤二几度来津密晤，游说他出面组织一个华北政权，并表示愿鼎力支持，遭到段祺瑞严词拒绝。蒋介石得此消息后，派人专程赴津请他南下，以免让他落入日本人之手。1933 年 1 月，段祺瑞乘车前往南京，受到蒋介石前往迎接的极高待遇。随后，段祺瑞公开表示："当此共赴国难之际，政府既有整个御侮方针和办法，无论朝野，皆应一致起为后援……"

此后，段祺瑞长居南方，再也未回天津，那些往返京津的奔波，避居天津的隐忍，俨然已成灌入黑胶唱片的乐曲，既永久定格，也时时回放。

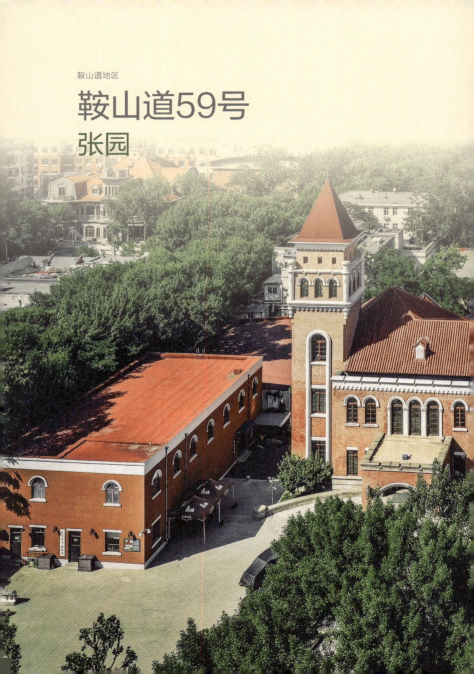

鞍山道59号

张园

张彪
1860—1927

山西榆次人，清光绪年间武科举人，曾被山西巡抚张之洞录为随侍，张之洞调任湖广总督后，渐次将张彪由武官把总擢升湖北省提督兼陆军第八镇统制。辛亥革命爆发后，弃职前往日本，回国后寓居天津15年。

欧洲罗曼风格混合结构二层楼房，坐东朝西，布局采用不对称形式，西北角设有尖角塔楼。楼房外墙开窗形式多样，立面效果丰富，正门是一个三面罗马式拱券支撑的大平台，上面是二楼露台，下面两侧有汽车驶入坡道。1976年唐山大地震时，主楼受损，尖顶角楼震落，后修复。

百年名邸，变身民国故事会

这是一座承载了太多历史的名邸：名臣隐退、孙中山北上、逊帝寓居……大开大合的剧情，太多离奇的巧合，像一部绘声绘色的连续剧在这里上演，让张园在天津的几百栋名人故居小洋楼中，给人一种卓尔不群的感觉，那些传奇虽已远去，却凭借经久不散的韵味，化成史册里浓重的几缕印痕。

张彪，生在贫农之家，幼时为了练功，他深夜即起，浸湿弓弦，使其噤声，潜至无人处反复操练直到力竭。中得武举人后，他本欲进京再考进士，未料因一次"路见不平，拔刀相助"，无意中搭救了山西巡抚张之洞，自此平步青云，成为张之洞的得力干将和最倚信者。在张之洞的提携下，张彪办工业、兴教育、练新军，屡建奇功。

张彪的一生多姿多彩，他既是晚清的"忠诚旧臣"，又是民国的"建威将军"。辛亥革命后，他七拒老部下、大总统黎元洪希望他出任湖北都督的邀请，隐居津门，兴建张

园，操办实业，自得其乐。

　　1924 年，冯玉祥发动北京政变，电邀孙中山北上共商国是。12 月 4 日，孙中山偕夫人宋庆龄及随行人员由日本乘船抵津，下榻张园。这是孙中山第三次，也是最后一次来津。

　　张园为迎接孙中山，上下布置一新，大门前搭出一座彩牌楼，正中缀有金色"欢迎"二字。牌楼上围以各色彩灯，园内走廊亦挂满旗帜。孙中山住在三楼东侧内间，其间，各界名流轮番拜访，张园门庭若市。在津 27 天，孙中山发表了《告天津人民书》《善后会议条例》，还以大总统名义下达了 118 条训令和指令。

　　因孙中山的下榻，张园名噪一时，而让它更为著名的是末代皇帝溥仪在此的寓居生活。1925年2月，孙中山离园54天后，被逐出紫禁城的溥仪来到天津，与皇后婉容、淑妃文绣连同一批宫女、太监、遗老遗少搬进张园。为迎接溥仪，张彪亲自急往英商惠罗公司买来上好铜床三具及随侍宿用铁床十多架，又买来大批布料，召集近亲女眷匍匐在二楼大厅地上赶制近百件床品。为让张园成为理想"行宫"，张彪又在平远楼上加盖一层，增加了客厅、书房和游艺室，摆进了时髦的台球桌。张彪更是黎明即起，亲自执帚洒扫庭院，以尽"事君"之道。

最为传奇的是，溥仪亲自挑选的寝室，竟与此前孙中山的居室和床位不差分毫。革命先行者孙中山与被革命打倒的末代皇帝溥仪，这两位不同命运、不同道路的人物，同在张园留下了历史的踪迹。

从此，溥仪在张园居住四年之久，

支撑着自己的小朝廷，对外称"清室驻天津办事处"。1929年7月，溥仪因久病不愈，出于"风水"考虑，由张园迁至曾任驻日本公使陆宗舆的私宅乾园。

溥仪"移驾"后，张园的外观和身份几经变换。1935年，驻津日军强购张园，拆旧楼盖新楼加塔楼，改作日本中国驻屯军司令官官邸。1947年，张园又变身国民党天津警备司令部。1949年平津战役后，中共天津市委迁入这里；同年6月15日，天津市军事管制委员会迁入，与市委合署办公；8月11日，张园成为中共天津市委第一个公开并挂牌的办公地。

张彪去世后，卸任的民国大总统黎元洪亲往张园祭奠，溥

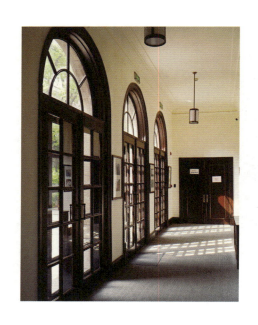

仪颁给"心如金石"匾额，谥"忠恪"。作为近代中国的一座舞台，张园上演了一幕幕大戏。那些历史烟云，就刻在一砖一瓦之上，一屋一院之间。如今的张园，以"孙中山北上在津期间居住遗址"的身份成了"不来有遗憾，看过有回味"的景点，二楼的一个房间，复原了孙中山当年的办公室和卧室，走在木地板上，可以听到吱吱的声响，无论是办公桌、沙发，还是墙上悬挂的"天下为公"横批，都在诉说着张园极不平凡的前世今生。

鞍山道70号

静园

溥仪驾到，静园无静

1931 年 8 月 25 日，15 时。

溥仪专车悄悄驶出静园，车内坐着文绣和文珊。她们的低调出走，掀起了一场震荡全国的"妃革命"。

文绣在通过律师致溥仪的信中写道："事帝九年，未蒙一幸，孤衾独抱，愁泪暗流，备受虐待，不堪忍受。今兹要求别居，溥仪应于每月中定若干日前往一次，实行同居，否则唯有相见于法庭。"

第二天，"淑妃与皇帝闹离婚"的消息不胫而走，登上各大报刊醒目位置。双方经过两个月的反复交涉，终于达成离婚协议。一纸离婚协议令溥仪颜面扫地。第二天，溥仪只能颁下一道史无前例的"上谕"："谕淑妃擅离行园，显违祖制，应撤去原封位号，废

溥仪
1906—1967
清朝入关后第十代皇帝，也是中国的末代皇帝，年号宣统。退位后，由日本帝国主义扶持建立伪满洲国，抗战结束后为苏联红军俘获先后关押于西伯利亚的赤塔和伯力。1950 年 7 月 31 日被引渡回国，在抚顺战犯管理所改造。1959 年 12 月 4 日被特赦，自传《我的前半生》影响广泛。

主要建筑为前后两幢二层西式小楼，1921 年建造，原为陆宗舆住宅。建筑主体属折中主义风格，具有日本和西班牙建筑式样。园内曲径长廊，怪石清泉，设有地灯。2007 年 7 月 20 日，静园经修整开放，成为除北京故宫、长春伪满皇宫外，溥仪旧居中最大的一处。

为庶人，放归母家居住省愆。钦此。"为了让王室颜面不至于太过难堪，溥仪不惜花费大笔广告费，将这条"上谕"刊载于报纸广告栏内，"昭告"天下。

1925年2月24日，被逐出紫禁城的溥仪原计划远渡英伦，未料英政府中途变卦，他只得采纳罗振玉等人的建议，先到天津"从长计议"。溥仪到津后暂居张园。1929年7月2日，他又"移驾"一箭之遥的静园。

静园本叫乾园，主人是陆宗舆。在溥仪的意识里，普天之下，莫非王土，择此而居，尽显皇恩浩荡，所以，他毫不见外地将园名由"乾"改"静"，取其"静待时机""静以养吾浩然之气"之意，企盼光复"中兴圣业"。

今天的静园，经过艰难修整，已辟为主题博物馆。高大的围墙圈出静谧的院落，漫步其间，无论是保存完好的鱼形壁泉，还是修葺一新的石径长廊，每一处都似残留着当年的气息。

随侍李国雄的口述史料，还原了溥仪在静园的生活场景。

当时，时尚的"皇上"迷上了时称"庭球"的网球。甫进静园，溥仪就命人在主楼东门外侧修建网球场，又派人买来球拍，随侍人手一把，天天陪他练球。巅峰期，静园的网球运动由单纯消遣升级为组织比赛，由单打进步到双打，由内部赛延展到广揽高手召开运动会……溥仪对网球的痴迷从住进静园一直玩到伪满初年，这个长达四年的纪录对万事皆无长性的他来说实属罕见。

主楼二层的奉先堂是溥仪供奉列祖列宗"圣容"的地方，自他以下人等必须按照"清代列祖列宗诞忌日表"准时祭拜。

据静园《每年出款清单》显示，仅1929年，溥仪祭祀列祖列宗的费用就高达大洋六万三百三元八角一分。用心良苦的祭祀，表达着他"复辟大清"的强烈愿望。

没有武装，何来复辟大业？身为寓公的溥仪，为了排遣积郁，寻到一种"纸上谈兵"的办法：在几张八开白纸上排兵布阵，用两色铅笔标明攻守双方的兵力和阵地，当然，胜负由他随意定夺。

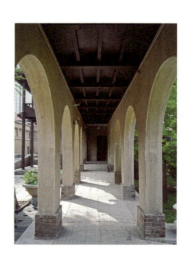

　　这位看似声色犬马的逊帝，其实并非闲云野鹤。在津期间，为了争取国际支持，溥仪与洋人的交往比在北京小朝廷时还要频繁。九一八事变前后，他派出人员前往东北甚至远赴日本，图谋复辟。

　　1931 年 11 月 2 日，日本特务头子土肥原贤二亲赴静园"觐见"溥仪，抛出诱饵："关东军对满洲绝无领土野心，而是诚心诚意帮助满洲人民建立自己的新国家。"

　　至此，溥仪远走东北之心不再摇摆。此间，静园陆续收到藏有炸弹的两筐果品和接二连三的恐吓信。接着，天津发

生"暴乱",驻津日军随即占领了日租界外围线,严密封锁了静园。被蒙在鼓里的溥仪哪知道这是土肥原自导自演的"逼宫"之计,"复国"的热望加上眼下的恐惧,让溥仪顿下决心:马上走!

1931年11月10日晚8时,溥仪在夜色掩护下离开静园,乘汽车到"敷岛料理店"。早就等候于此的日军大尉立刻给他换上日本军大衣,改乘日军军车,驶入英租界的一个码头,匆匆登上隶属日军运输部的小汽船"比治山丸"。

"比治山丸"迅速驶离码头,强闯中国军队检查站。一番枪战后,小汽船于子夜抵达大沽口外。溥仪由旧臣郑孝胥父子陪同,改乘日本商轮"淡路丸",从此远离了天津。

民主道23-25号
曹禺故居

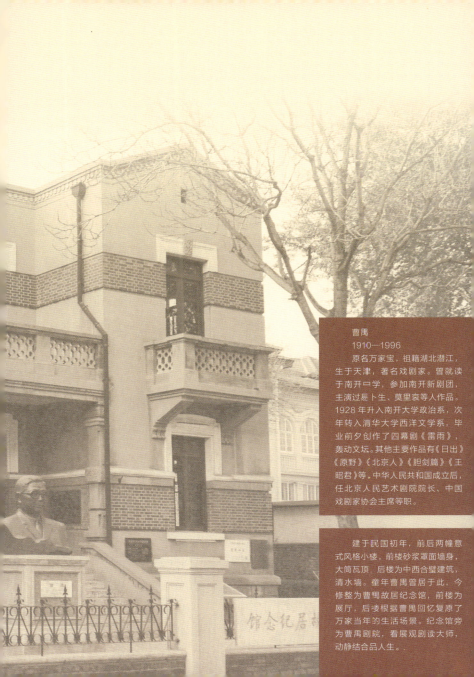

曹禺

1910—1996

　　原名万家宝，祖籍湖北潜江，生于天津，著名戏剧家。曾就读于南开口学，参加南开新剧团，主演过易卜生、莫里哀等人作品。1928 年升入南开大学政治系，次年转入清华大学西洋文学系，毕业前夕创作了四幕剧《雷雨》，轰动文坛。其他主要作品有《日出》《原野》《北京人》《胆剑篇》《王昭君》等。中华人民共和国成立后，任北京人民艺术剧院院长、中国戏剧家协会主席等职。

　　建于民国初年，前后两幢意式风格小楼，前楼砂浆罩面墙身，大筒瓦顶。后楼为中西合璧建筑，清水墙。童年曹禺曾居于此，今修整为曹禺故居纪念馆，前楼为展厅，后楼根据曹禺回忆复原了万家当年的生活场景。纪念馆旁为曹禺剧院，看展观读大师，动静结合品人生。

生活考验躯体 文学塑造灵魂

20世纪80年代，曹禺在女儿万方的陪同下回津寻根。作为陪同者，天津戏剧博物馆首任馆长黄殿祺对每一个接待细节都记忆犹新："离开时间太长了，曹禺一时找不到家。但是走到民主道时，看到23号，他立刻就说，那是他的家，是'万公馆'。他边看边回忆，说一进门左边是小客厅，楼上是他父母住的地方，他还指出他当年阅读《红楼梦》等古典文学名著和易卜生作品的地方……"想到当时动情的父亲，万方感慨地说："那一次的旅行使我很贴近地感受到他的童年，感觉出他这个人是从哪儿来的，为什么他是他。"

正是因为这次指认，河北区文管所为此处建筑挂上了"曹禺旧居"的公示牌。

少年已读《红楼梦》《西厢记》的曹禺曾说："我很留恋青年时代在天津的这段生活……南开新剧团是我的启蒙老师，不是为着玩，而是借戏讲道理……"

13岁那年，曹禺考入南开中学。因南开校长张伯苓提倡，南开中学向有排练新剧的风气，每逢校庆，必有演出。两年后，曹禺加入南开新剧团，他的启蒙老师是话剧活动家、张伯苓之弟张彭春。据曹禺回忆，当时的社会风气不许男女同台演出，他大多饰演女角。天才的曹禺高中时期就动手改写

南开新剧团剧本，将莫里哀的《悭吝人》改编为《财狂》并饰演主角。此剧在南开大学礼堂公演时，郑振铎、巴金等专程从北平赶来看戏。此次演出赢得整个华北文艺界的赞叹，《大公报》还编发了纪念特刊。

　　在几代中国观众心中，话剧就是曹禺，就是繁漪、陈白露，是舞台上的鸣凤和梅表姐。这些载入中国话剧史册的角色，都诞生于北方话剧中心——天津。

　　关于《雷雨》和《日出》，曹禺说："这两个戏的故事情节都是我天天听得见、看得到的亲戚、朋友以及社会上的事，到处都有天津的影子。"

　　的确，天津既是曹禺的家，也是他体验生活的地方。他的作品中，"天津的影子"随处可见。《雷雨》的周家布局不仅有着万公馆的影子，还借用了天津工商界巨子周学熙位于英租界的一幢很大很古老的房子的样貌；鲁贵的名字脱胎于周家的用人陈贵。曹禺曾明确指出，《雷雨》第三幕出现的鲁贵家，就在当年天津的贫民聚居地"地道外"，"取材于老龙头车站（今天津站），一道铁道栅栏门以外的地方，过去那个地方很脏。"《日出》的故事场景地，则是天津的惠中饭店和南市"三不管"一带。惠中饭店坐落在绿、黄牌

电车道交叉的十字路口上，斜对面是劝业场。在惠中饭店一间宽敞房间里，对面墙壁上是一片长方形窗子，除了清晨太阳照进来，整天不会再有一线自然光亮。曹禺间或来此和朋友谈戏聊天，偶尔也会住下，近距离地观察着钻营名利的各色人等。当年的南市"三不管"，脏乱差，黄赌毒俱全，曹禺不敢独自前往，约上朋友壮胆去采风。"读书人跑到那里去，很不容易。我接触了许多黑暗社会的人物，慢慢搞熟了，才摸清里边的事，不过很难。"

《日出》中的砸夯，与老天津盖房奠基的情景别无二致，只凭一块大铁饼，四面拴绳，四人用力高高举起然后重重砸下，工匠们一面劳动一面高唱，节奏感强，场面非常火爆。曹禺总会被这样的情景感染，有时一看就是两三个小时，写在《日出》里的夯歌，就是他填词而成。

"天津的影子"就像曹禺的胎记，如影随形地陪伴了他的一生。那座小楼，虽然"终日弥漫着忧郁、伤感"，却"熔铸了一个苦闷的灵魂，使他早早地就开始思索人，思索人生，思索灵魂"。

民族路44、46号

梁启超故居

饮冰室里淌暖流

梁启超聪颖过人，12岁考上秀才，17岁考中举人，他得知康有为在万木草堂讲学，便去虚心求教。举人梁启超向秀才康有为问学，成为文坛佳话。康有为对旧学的批判深刻影响了他，使他成为"公车上书"的猛将。

"百日维新"失败后，梁启超避居日本，但他依然"今天下之可忧者，莫中国若；天下之可爱者，亦莫中国若。吾愈益忧之，则愈益爱之；愈益爱之，则愈益忧之"。

1912年10月8日，梁启超从日本归国，在北京小住几天便返津，从此决意"总住津，不住京"。从1913年至1929年，他把生命中最后的十六载光彩，涂抹在了天津的大地之上。

梁启超
1873—1929
广东新会人，著名政治活动家、启蒙思想家、教育家、史学家和文学家，戊戌变法领袖之一。曾倡导文体改良的"诗界革命"和"小说界革命"，其著作合编为《饮冰室合集》。

主楼建于1914年，意式两层砖木结构，水泥外墙，塑有花饰，异型红色瓦顶，石砌高台阶。饮冰室建于1924年，由意大利建筑师白罗尼欧设计，造型别致典雅，浅灰色两层洋楼，底层为敞廊，由三个半圆形连续拱券门洞做主要入口，首层为书房，二层为卧室和会客厅。墙面清新明快，门窗四周以灰塑为装饰，墙角配以抱角柱。楼前是花园式庭院，中间有一大花坛，具有鲜明的意大利文艺复兴时期花园府邸特色。

　　旧楼二楼有一个房间，是梁启超夫人李蕙仙的书房。李蕙仙深明大义兼具须眉豪情，被梁启超称为"闺中良友"。当年，李蕙仙以名门闺秀嫁与梁启超，夫妻相敬如宾，感情甚笃，只是李蕙仙管教子女有些严厉，因此子女反而与父亲更为亲近。1915年护国战争时，梁启超从军前放心不下家小，李蕙仙鼓励道："上自高堂，下至儿女，我一身任之。君为国死，毋反顾也。"1924年9月，李夫人因病去世，梁启超悲痛悼念："我德有阙，君实匡之；我生多难，君扶将之；我有疑事，君权君商；我有赏心，君写君藏……今我失君，只影彷徨。"

　　1918年前后，梁启超决心脱离政治，专注教育和著述。

1924 年，他在旧楼旁又建起一幢书斋，名"饮冰室"。"饮冰"见于《庄子·人间世》："今吾朝受命而夕饮冰，我其内热欤？"为了安静写作，梁启超规定，除夫人和秘书外，孩子们不经允许，不许随意到新楼去玩。在这里，他不仅写下《欧洲心影录》《清代学术概论》《中国历史研究法》《科学精神与东西文化》《先秦政治思想史》《中国近三百年学术史》等传世之作，还给远在美国、加拿大留学的儿女寄去了三百多封家书。

梁启超是当之无愧的"育儿家"，一门三院士，九子皆才俊：长女思顺，诗词研究专家；长子思成，建筑学家；次子思永，考古学家；三子思忠，西点军校毕业，参加淞沪抗战；次女思庄，北京大学图书馆副馆长、图书馆学家；四子思达，经济学家；

三女思懿，社会活动家；四女思宁，早年就读南开大学，后参加新四军投身革命；五子思礼，火箭控制系统专家、中科院院士。

梁启超认为，教子之道，在于"严""爱"。"严"出于理智，"爱"出于情感，缺一不可。学习和做人方面要"严"字当头，生活上要以"爱"相扶。

注重孩子个性，尊重孩子意愿，是梁启超因材施教的法宝，他鼓励孩子们，"一旦对某一方面感兴趣，那么，你会觉得像换了个新生命，如朝霞飞虹，如新荷吐绿……"，但"如果对一门太专，容易把多彩的生活弄得过于平淡。生活太单调了，易产生厌倦心理，厌倦即成苦恼之事，这是厌学的根"。

　　民国初年，梁家虽已进入上层社会，但不曾改变寒士家

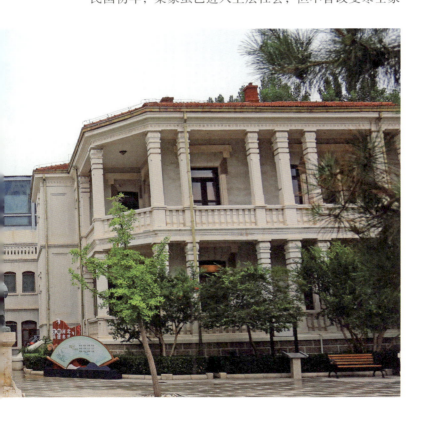

风。梁启超要求孩子们，无论何时，好学、坚韧、勤俭的品行都不能丢。他说："你如果做成一个人，知识自然是越多越好；你如果做不成一个人，知识却是越多越坏。" 梁启超没有成文的家规家训，却用言传身教，将一生炽热不变的家国情怀融入了几代梁氏后人的血脉。他的九个子女，七个留学海外学有所成，却全部归国报效桑梓。梁思礼曾这样感慨："从小父亲就给我们讲爱国故事，要我们长大后'爱国如家'，因此我们都传承了父亲的爱国基因。"这爱国的底色，正是梁启超留给家与国的传世财富。

民主道50-54号
冯国璋故居

冯国璋
1859—1919
河北河间人，北洋直系军阀首领，北洋武备学堂毕业。1896年，协助袁世凯在天津小站训练新军。辛亥革命爆发后，任北洋军第一军总统，率军赴湖北镇压革命。1913年二次革命时，奉袁世凯之命攻下南京，任江苏都督。1916年，北洋军阀分化，成为直系军阀首领，同年当选副总统，次年代理总统。1918年，被皖系军阀段祺瑞胁迫下台。

建于1912年，砖混结构二层奥地利式楼房，平顶出檐，两幢相连。其中一幢各内室以六折叠门连通，另一幢为联立式门。1915年，又按原建筑风貌设计进行扩建、接建，并新建庭院式花园，人称"冯家大院""冯家花园"。

冯代总统的家春秋

　　冯国璋虽只做到代总统，但他的存在感，丝毫不亚于民国其他几位大总统，从军、当政之时多有作为。不过，虽然他卸任后寓居天津，后代也多在天津生活，但他对于天津来说只是匆匆过客，不像黎元洪、徐世昌、曹锟那样在这里度过长时间的寓公生涯。

普通人因为缺少传奇经历，也就没有多少演义成分；风云人物则不同，他们的野史和正史，就像一对孪生兄弟，相互补充，相互印证，有时也会相互对立。有房就有家，冯国璋的家族往事虽不如袁世凯那般庞杂，但他生前身后的家世风云，依然为这位历史人物添上了传奇的一笔。

　　以"诗经"命名一个村落，美丽而浪漫。多年之后，诗经村的村民不再传颂村名的由来，而是将传说的重心转向冯国璋，因为，这位大人物从这个村子走出，逝后又魂归故里。

　　冯国璋的出身并不显赫，他的父亲曾是勤奋上进的童生，但因脾气暴躁一事

无成。潦倒的父亲和贤惠的母亲，将全部希望寄托在四个儿子身上。据说冯国璋出生前一天夜间，她的母亲梦见一颗光芒万丈的巨星飞入怀中，冯父异常兴奋，认为此儿乃天星下凡，必成大器，取名国璋。

　　冯国璋在兄弟中排行第四。冯家因供前面三个孩子读书，家境日贫，到冯国璋出生时已是"糠菜半年粮"的光景。为了四儿的求学之路，冯国璋的父母毅然扒掉砖房换回了学费。清贫中长大的冯国璋，格外懂事听话，读书特别刻苦，每天早出晚归。冬天，没有棉鞋的冯国璋冻裂了双脚。为了取暖，他在靠墙的书桌下垒了个土坯槽，里面装满麦秸，把脚伸进去保持温度。他十分刻苦，成绩优异，深受先生器重和同学敬重，家境好些的同学见他食不果腹，就常带吃食给他，或者请他做客吃顿饱饭。

冯国璋在北洋政坛起起伏伏，从追随袁世凯到民国代总统，经历了时卷时舒的政界风云，但无论世事如何变幻，偏远贫穷的诗经村都是他心中最柔软的地方，成为他随时可以前往的精神归宿。

冯国璋极其重视子孙教育，即使身居高位、家产富有，他对子孙们的开销支用依然卡得很紧。

冯家遇，15 岁考进北洋速成武备学堂。身为总办的冯国璋，对这个寄予厚望的儿子从不特殊照顾，既不召见，也不探视，让儿子与普通学员同住简陋的集体宿舍，吃清汤寡水饭菜，过艰苦的军营生活。后来，冯家遇出国留学时的开支，全部仰仗清政府的补助金，冯国璋分文不予。他认为男儿求学在外，只为求知识、长学问，身上钱多只会多学坏毛病，甚至走上歧途，葬送前程。

冯家遇没有辜负父亲的期望，成为冯家第二代中的代表人物。辛亥革命后，他投身实业，其中投入最大且办得最好的是天津东方油漆厂。他还创办了天津大陆银行。

冯国璋去世后，依照冯家族规，孝子须守孝六年。服丧期满，冯家遇一家人搬出诗经村定居天津，住进这座小楼，被裹进另一片历史风云。

意式风情区

海河东路39号
袁氏故居

1918 年建成，欧洲古典式三
层楼房，融合日耳曼民族建筑手
法。红色陡坡屋顶正脊中间建扣
钟状采光亭，系仿意大利文艺复
兴早期"圣玛利亚大教堂"穹顶
建造，外形比意式建筑多一道反
向曲线，形成德国建筑的独特风
貌。门廊方柱与圆柱相结合，颇
为难得。主楼东侧二楼有拜占庭
风格小尖穹顶，与塔楼相互映衬，
院内建有后花园，园内有假山、
游廊、钓鱼亭台、花窖等。

袁门深深深几许

"我们家里的人在我父亲死后不久就分家了，大哥克定，因系嫡出长子，独分四十万，其余庶出儿子，每人各分得十万元……女儿们每人只给嫁妆八千元。我娘和各个姨太太都不另分钱，各随他们的儿子一起生活……"六十多年前，袁世凯三女袁静雪在《我的父亲袁世凯》中这样写道，披露了这个世所罕见的一妻九妾、十七子十五女的大家庭最后分崩离析的境况。

天津小站是袁世凯的发迹之地，他在这里步入人生的快车道。甲午战争后，袁世凯奉旨在此督练"新建陆军"，小站练兵揭开了清军编练近代化的序幕，成为中国近代军制史的重大转折。

关于袁世凯的一生，历史会作出公正的判断。天津这座小楼里留下的，只是他作为一家之主的"自画像"。

袁世凯在津房产大致如下：今建设路64号是袁世凯担任直隶总督、北洋大臣时所建，

他曾在此居住；今地纬路六集里，由他部分妻妾居住；今大营门一处六栋大楼组成的袁氏老宅，在袁世凯逝后，他大部分家眷居住过，现已拆除；今海河东路39号的袁氏宅邸，为袁世凯命本家袁乃宽所建。1915年，袁世凯称帝时，意在天津建座府邸，只是府邸竣工时，袁世凯已死两年，一天也没享受到这栋别墅的美丽与幽静。

袁世凯有32个子女，管教起来无疑是一项浩大的工程。袁世凯采用的方法是分类施教，对儿子，严上加严；对女儿，娇上加娇。七子袁克齐回忆："父亲对我们兄弟的教育是认真的，先请各科的老师吃饭，饭后交戒尺一把，并说，如果孩子们不听话，就用此尺打他们手心，不要宽纵。"

与"棍棒之下出孝子"的理念截然相反，袁世凯对女儿极其宽容，将笑容大多留给了女儿。在袁静雪的回忆里，她小的时候，父亲一高兴会把她抱在腿上，有时还会给她讲上一段小故事。

袁世凯在世时，妻妾都称他"大人"。袁世凯去世后，尽管没了一家之主，但除了"太子"袁克定，各房还时常走动，只有袁克定被称为"那个人"。袁家人公认他是袁家的仇人和罪人，因为正是他促使袁世凯下决心复辟帝制。

袁世凯的众多姨太太，日子过得最为舒心的是"母凭子贵"的五姨太。她的儿子袁克桓是袁家少有的步入实业界且具有影响力的人物，历任开滦矿务局、启新洋灰公司股东和经理。心灵口巧又遇事有决断的五姨太，此前一直让袁世凯情有独钟，袁特别赏识她的理家才能，袁府大事小情全部交她打理，因此，全家上下都对她既敬又畏。

袁世凯的儿子多为风流公子，靠山在时尽享奢华，靠山倒后坐吃山空。他曾寄予厚望的儿子大多辜负了父亲的期望。袁家第三代则是袁氏家族中遭遇磨难最多的一代，命运跌宕起伏。袁家第四代、第五代对袁世凯已无直观感受，祖辈留给他们的，只剩下一脉相承的血缘。对于他们来说，袁家的种种故事，早已成为过眼云烟。

阅读天津·津渡

HOW TO READ TIANJIN · FERRY CROSSING

后记

　　1404年12月23日，天津筑城设卫，是中国古代唯一拥有确切建城时间的城市。2022年，她即将迎来618岁生日。

　　孟夏时节，风暖蝉鸣，我们一众出版人齐聚一堂，筹划出版"阅读天津"系列口袋书，旨在贯彻新发展理念，挖掘地域文化，突出趣味性、故事性、通俗性，以"小切口"讲好天津故事，反映新时代人民心声，为城市献上一份贺礼。大家各抒己见，同一座城市却有着不同的关键词：海河岸广厦高耸，滨江道游人如织，这是一座"繁华"的城；古运河舟楫千里，天津港通达天下，这是一座"开放"的城；老城厢幽静雅致，五大道异域风情，这是一座"包容"的城；相声茶馆满堂彩，天津方言妙趣生，这是一座"幽默"的城……

　　倘若一座城市内部千篇一律，必然乏善可陈。不同的关键词，恰好表明天津城市图景具有多样性和丰富性，蕴藏着广阔而灵动的书写空间。然而，究竟从何处下笔为好？

我们又陡觉茫然。

著名作家冯骥才先生曾说："评说一个地方，最好的位置是站在门槛上，一只脚踏在里边，一只脚踏在外边。倘若两只脚都在外边，隔着墙说三道四，难免信口胡说；倘若两只脚都在里边，往往身陷其中，既不能看到全貌，也不能道出个中的要害。"

想来颇有道理，大家要么是土生土长的老天津人，要么是迁居多年的新天津人，早已"身陷其中"，真有必要迈出门槛，重新"远观"这座熟悉的城市。远观之远，非空间之远，乃心理之远。于是，我们计划佯装游客，尽量卸下自诩熟稔的"土著"心态，跟随熙熙攘攘的旅人，再次探寻天津。

漫步五大道，各式各样的洋楼连墙接栋，百年前多少雅士名流、政要富贾寓居于此。骑行海河畔，一座座桥梁飞架两岸，一桥一景，风格各异。游逛古文化街，泥人张、风筝魏、崩豆张等天津特产琳琅满目，坐落街心的天后宫庄严肃穆，漕运兴盛时水工船夫在此会聚求安。徐步杨柳青，古镇曾经"家家会点染，户户善丹青"，年画随运河水波，销往各地。落座津菜馆，罾蹦鲤鱼、煎烹大虾、清蒸梭子蟹、八珍豆腐，"当当吃海货，不算不会过"道出天津人对河鲜海味的偏爱。驱车观海滨，天津港货船繁忙，东疆湾海风拂面，大沽口炮台遗址见证了中华民族抵御外辱的不屈意志，被称为"海上故宫"的国家海洋博物馆收藏着无穷的海洋奥秘……

数日游走，一行人深感佯装游客也是一件力气活儿，哪怕再花上三五天也游不完这座城。旅途的尾声，我们选择登上"天津之眼"摩天轮，将大半座城市的繁华尽收眼底。座舱缓缓升至最高处，眼前的三岔河口正是海河的起点，所谓"众流归海下津门"，极目远眺间，心中豁然开朗！"举一纲而万目张，解一卷而众篇明"，近在眼前的海河不正是那"一纲""一卷"吗？上吞九水、中连百沽、下抵渤海，我们数日以来的足迹，似乎从未远离过海河！

从地图上看，海河水系犹如一柄巨大的蒲扇铺展在大地上，其实她更像是这座城市庞大而有力的根系，将海河儿女紧紧凝聚——城市依河而建，百姓依河而聚，文化依河而生，经济依河而兴。

经过反复讨论，我们决定推出"阅读天津"系列口袋书第一辑"津渡"，以海河为线索，串联起天津的古与今、景与情，讲述海河历史之久、两岸建筑之美、跨河桥梁之精、流域物产之丰、沽上文学之思……

众人拾柴火焰高。在出版过程中，感谢中共天津市委宣传部的谋划和指导，践行守护城市文脉的责任担当，鼓励我们打造津版好书；感谢冯骥才、罗澍伟、谭汝为、王振良先生，为我们指点迷津，完善策划方案；感谢"津渡"的每一位作者、插画师、摄影师、设计师，付梓之时，更觉诸位良工苦心。

最后，感谢抚书翻看至此的读者！甲骨文的"津"，字形像一人持篙撑舟，我们也期望"津渡"犹如一叶扁舟，载着读者顺水而下，遍览一部流动的城市史诗！

"阅读天津"系列口袋书出版项目组
2022 年 9 月